UN TYPE BIEN NE FAIT PAS ÇA

DU MÊME AUTEUR

Société et révolution biologique : pour une éthique de la responsabilité, INRA éditions, Paris, 1996.

La Médecine du xxᵉ siècle : des gènes et des hommes, avec Dominique Rousset, Bayard, 1996.

Copies conformes, le clonage en question, avec Fabrice Papillon, NiL éditions, 1998 ; Pocket, 1999.

Et l'Homme dans tout ça ? Plaidoyer pour un humanisme moderne, NiL éditions, 2000 ; Pocket 2004.

L'avenir n'est pas écrit, avec Albert Jacquart et en coll. avec Fabrice Papillon, Bayard, 2001 ; Pocket 2004.

Raisonnable et humain ? NiL éditions, Pocket 2006.

Bioéthique et liberté, avec Dominique Lecourt, PUF, coll. « Quadrige » 2004.

Doit-on légaliser l'euthanasie ?, avec André Comte-Sponville et Marie de Hennezel, Éditions de l'atelier, 2004.

Le Secret de la salamandre, la médecine en quête d'immortalité, avec Fabrice Papillon, NiL éditions, 2005 ; Pocket 2007.

Comme deux frères, avec Jean-François Kahn, Stock, 2006 ; Points Seuil 2007.

L'Homme, ce roseau pensant. Essai sur les racines de la nature humaine, NiL éditions, 2007.

Vivre toujours plus ?, avec Roger-Pol Droit, Bayard, 2008.

L'Homme, le Bien, le Mal, avec Christian Godin, Stock, 2008 ; Hachette littératures, « Pluriel », 2009.

L'Ultime Liberté ? Plon, 2009.

AXEL KAHN

UN TYPE BIEN
NE FAIT PAS ÇA

Morale, éthique et itinéraire personnel

NiL

Ouvrage édité par Dominique Missika

© NiL éditions, Paris, 2010
ISBN 978-2-84111-435-1

À l'université que j'aime,
à ceux qui la font et à ceux qui y sont.

Avertissement

« Le ciel apparaît tout petit à qui l'observe assis au fond d'un puits », dit un proverbe chinois. Il est immense pour l'alpiniste parvenu au sommet de la montagne. Lorsque quelqu'un décrit ce qu'il voit, l'auditeur ou le lecteur doivent savoir d'où il observe. Cette notion est générale, elle vaut pour l'information, les analyses et les points de vue. Entre le réel et sa description, il y a une personne avec les particularités de son angle d'observation, la sélectivité de ses sens, de son psychisme et des émotions, l'influence de toutes les empreintes laissées en son esprit par sa formation et sa vie En matière de pensée morale, cela joue et offre une grille de lecture indispensable à ceux qui en prennent connaissance. Le désir d'objectivité existe, l'objectivité non, ou alors sous la forme d'un idéal auquel conduisent la diversité infinie des points de vue et, en sciences, le recoupement de multiples systèmes d'études ou de mesures. La philosophie morale, référence incontournable de la réflexion éthique, est une science humaine, elle ne peut être dissociée de la subjectivité du locuteur ou de l'auteur qui s'en réclame. Telle est la raison de la structure singulière de ce livre qui aborde la dimension éthique de différentes questions de société et de problèmes liés à la recherche biologique et médicale mais débute par des éléments biographiques.

Les analyses que je fais, les pistes que je suggère d'emprunter et les réponses que je donne sont juste, j'en ai conscience, des contributions à un très large débat national et international dont certaines propositions sont fort éloignées des miennes. J'ai de la sorte voulu indiquer au lecteur les racines culturelles et biographiques d'une subjectivité assumée.

Dans ce survol de références familiales, religieuses, politiques et événementielles par lequel débute cet ouvrage, j'ai cherché à dégager les clés de ce qui a façonné ma personnalité morale. Car elle a été façonnée. Bien entendu, je ne me retrouve nullement dans l'improbable proposition kantienne selon laquelle la morale, au cœur de chacun, existe en soi, non construite, constitutive de l'être et insensible aux aléas de sa vie. Au terme de l'exercice, je résume en quelques pages les principes moraux que mon esprit soumis à l'influence de mon éducation et de ma vie a retenus. Ainsi armé, je m'efforce ensuite de préciser ce que sont mes visions de différentes situations et de dilemmes variés que j'ai eu à connaître ou sur lesquels j'ai travaillé et réfléchi, et j'en déduis mes solutions, c'est-à-dire ce qui est selon moi la « voie bonne » dont la poursuite est l'objet même de l'éthique.

Introduction

Si je jette un regard en arrière, je dois me rendre à l'évidence : l'éthique, c'est ma seconde nature. Aussi loin que je m'en souvienne, j'en ai toujours fait, comme M. Jourdain faisait de la prose sans le savoir, et avant que ce fût à la mode. Aussi incroyable que cela puisse paraître aux yeux de certains, ma conviction est arrêtée depuis longtemps, je suis assez imperméable à l'air du temps et peu enclin à être politiquement correct. Mes positions n'ont guère varié au gré des époques ou en fonction de nouvelles découvertes. Ne comptez pas sur moi pour renier mes engagements d'hier, ils sont ancrés au plus profond de ma personne. Ce sont les mêmes valeurs qui soutiennent ma réflexion depuis ma jeunesse jusqu'à aujourd'hui où j'ai blanchi sous le harnais. Mon combat, c'est l'homme.

Tôt engagé dans la réflexion éthique, je l'ai été sous l'influence de mon père, Jean Kahn, à qui je dois ma formation intellectuelle et morale. Je me sens modelé par mon éducation et m'efforce dans chacun de mes actes de respecter l'injonction paternelle, celle que j'ai reçue comme tout héritage.

Ma ligne de conduite a toujours été et sera toujours celle d'un indécrottable humaniste. « Sois raisonnable et humain », m'avait enjoint mon père avant de mettre fin à ses jours. L'ai-je été ? Mon credo tient en peu de mots. La valeur scientifique d'une innovation ne la justifie pas sur le plan moral. Aucune science n'est bonne en elle-même. Seule, elle ne peut pas garantir un progrès social et moral.

Quitte à choquer ou à surprendre, je soutiens, on s'en étonne souvent, que l'embryon mérite d'être reconnu dans sa singularité. Oui, le farouche agnostique et matérialiste darwinien que je suis, affirme que l'embryon humain est à considérer, dès qu'il est conçu, comme un « objet biologique » non banal. Ce « grumeau de cellules » peut en effet, dans des conditions favorables, devenir une personne humaine. Contrairement à l'Église catholique, l'embryon ne possède en revanche, à mes yeux, aucun caractère sacré. C'est le début possible d'une personne dont la dignité sera l'objet même de la pensée éthique. Attention ! Farouche défenseur de l'IVG, je ne nie pas pour autant la valeur du fœtus que l'on va éliminer. La question n'est pas de savoir s'il faut ou non interrompre la grossesse, mais s'il faut le faire en mettant la vie de la mère en danger. Avant le vote de la loi Veil, la plupart des femmes avortaient clandestinement dans des conditions risquées. C'est une loi qui se comprend comme l'assistance à une femme en danger. Comment hésiter à approuver, y compris et surtout lorsqu'on est chrétien ? C'est la réintroduction oubliée par le Vatican d'une saine casuistique dans la pensée catholique. Il y a, d'une part, la loi morale fondée sur l'interprétation par l'Église catholique d'une loi révélée et, d'autre part, une compassion à l'être : il faut aimer son prochain comme soi-même, même s'il est pécheur.

L'éthique est, au fil des ans, devenue une composante essentielle de ma vie. Réflexion sur ce qu'il convient de faire, elle est synonyme d'un dilemme à résoudre, d'incertitudes à dissiper, ou de choix à effectuer. Dans un monde chamboulé, en danger de perdre ses repères, je redoute une certaine forme de déshumanisation de l'homme. Comment répondre à l'inquiétude sociale face aux progrès scientifiques ?

Plus que jamais, des garde-fous sont indispensables pour préserver la vie et respecter l'homme. Inquiet de toutes les dérives possibles et imaginables dans ce domaine, il conviendrait de compléter la Déclaration universelle des droits de l'homme et du citoyen de 1789 : « Tous les hommes naissent et demeurent libres et égaux en dignité et en droits. »

Là où le bât blesse, c'est d'en rester à ce que j'appelle de « vieilles lunes ». Les problèmes soulevés par l'embryon sont réglés depuis belle lurette : malgré le combat d'arrière-garde du pape, la recherche sur l'embryon surnuméraire avec avis des géniteurs et autorisation de l'agence de biomédecine devrait devenir une loi positive au lieu de rester un moratoire sur une interdiction ; en revanche, le clonage reproductif restera interdit, il est un fantasme individuel et en aucun cas un procédé médical de lutte contre la stérilité.

Reproduire par clonage un être humain contreviendrait à l'autonomie de la personne, serait une atteinte aux droits de l'homme. L'éthique, qui passe par le respect inconditionnel de l'altérité de la personne, et donc par le refus d'enserrer la relation entre le soi et l'autre dans une logique du même conduit à le rejeter. Vouloir satisfaire son désir d'enfant par le moyen du clonage reviendrait à une perversion narcissique oublieuse de l'ouverture à l'autre et de l'acceptation de l'autre qui passe par celle de son corps différent. Halte au fantasme ! Il y a loin entre le clonage humain et la procréation médicalement assistée où l'altérité est prise en compte, voire redoublée par l'anonymat du donneur de sperme. Avec le clonage humain, on entrerait dans le règne de la création d'un autre à l'image de soi, à qui on aurait imposé ses caractéristiques physiques.

Autoriser cette pratique donnerait le droit – insensé – à certains individus d'en reproduire d'autres à leur image... Cette forme d'assujettissement des uns aux autres, ne serait-ce que dans le cas où celui-ci serait limité à l'enveloppe corporelle, me paraît insupportable. Qui détiendrait le droit de déterminer le sexe, la couleur des yeux ou des cheveux, la forme du menton, ou toute autre caractéristique d'un être humain ? Comment échapper à la demande fantasmagorique du remplacement d'un être cher qu'on a perdu (l'enfant de remplacement) ? Qui ne rêvera pas d'échapper au trépas en « renaissant » avant sa mort ? Une fois de plus, au risque de me répéter, l'autonomie des individus commence par la limitation du pouvoir des parents. Autant avoir un enfant quand on le désire (contraception, procréation assistée) est légitime, autant il doit rester le fruit du brassage génétique, du hasard.

Il est de moins en moins rare que des parents conçoivent un enfant pour en soigner un autre, malade. Dans le cas des maladies génétiques, le diagnostic préimplantatoire, permettant de sélectionner celui des embryons *in vitro* qui ne semble pas destiné à développer la maladie, a été autorisé. Lorsque plusieurs de ces embryons sont utilisables, est-il légitime d'« utiliser » l'un d'entre eux pour sauver son frère ou sa sœur ? Aucun argument ne me semble s'y opposer. Une règle éthique fondamentale, issue d'un impératif kantien, commande de considérer la personne non seulement comme un moyen, mais également comme une fin. Cela étant, Kant n'a jamais indiqué qu'une personne n'était qu'une fin en soi ; cela vaut pour les enfants : les parents ne détestent pas en général les conditions dans lesquelles ils en font ; ils aiment l'idée de matérialiser leur amour par un petit partagé ; ils font parfois des enfants pour léguer une fortune, un nom, un règne ou une ferme. L'« enfant-médicament » peut, dans le même temps, être la fin de lui-même et aimé comme un enfant, ainsi que le moyen de guérir son frère ou sa sœur.

On a réussi à cloner des animaux d'une douzaine d'espèces depuis 1996 ; en 1998, il a été possible de mettre en culture des cellules souches embryonnaires humaines. Depuis, on n'a eu de cesse de parler de clonage thérapeutique, à partir d'embryons jumeaux de la personne à soigner. L'idée en soi n'était pas dénuée de sens, si ce n'est que l'on s'est rendu compte que cette méthode soulevait des problèmes logistiques majeurs et posait des questions éthiques.

À partir du moment où ce genre d'innovations touche l'homme ou ce qui a de la valeur à ses yeux, il appartient à l'ensemble des citoyens de se prononcer sur leur légitimité en toute clarté. Comment s'y prendre pour éviter la confiscation de ce débat crucial par les scientifiques ou les technocrates ? C'est un enjeu pour la démocratie.

La condition *sine qua non* de réussite de ce débat suppose de donner à chaque citoyen les moyens de s'informer. Or personne n'est mieux qualifié pour expliciter les bases scientifiques et techniques d'une innovation technique que les scientifiques eux-mêmes. Dès lors, il leur incombe de livrer en toute bonne foi à la population ce qu'ils pensent en leur âme et conscience d'une découverte. S'il y a désaccord entre eux, il importe d'émettre plusieurs avis exposant les thèses en présence, faute de quoi les scientifiques, transformés en force de lobbying, risquent de manipuler les citoyens.

Dans le cas du prétendu clonage thérapeutique, quatre-vingt-dix pour cent de la communauté scientifique internationale y était favorable. Elle avait donc mis sur pied une campagne de mobilisation formidable. On a vu monter à la tribune Nancy Reagan, Christopher Reeves, des associations de malades telles que l'AFM (Association française contre les myopathies) pour forcer la décision, sur le thème : « Il faut autoriser le clonage thérapeutique, sinon nous ne parviendrons pas à restituer la mémoire aux malades d'Alzheimer, à faire remarcher les tétraplégiques prisonniers de leur fauteuil, ou à résoudre les maux des myopathes.

Cette charge de pathos a beaucoup pesé sur l'opinion publique. Une partie des chercheurs a vite constaté le peu d'avenir thérapeutique de cette technique. Pour chaque malade à traiter, il faudrait prélever un grand nombre d'ovules sur plusieurs jeunes femmes stimulées par des injections hormonales, les débarrasser de leur noyau pour les remplacer par ceux de cellules en culture afin d'obtenir dans un très petit nombre de cas des embryons et, enfin, tenter d'en isoler des cellules pour les mettre à leur tour en culture. Il convient ensuite de tester les capacités de ces cellules et de vérifier qu'elles ne sont pas cancérigènes. Ces étapes préliminaires achevées, il reste encore à les transformer en cellules de cœur pour soigner une insuffisance cardiaque, en cellules cérébrales pour soigner un Alzheimer, en cellules de la moelle épinière pour soigner une tétraplégie, etc. Bref, l'ensemble du processus est tellement compliqué, incertain, coûteux et nécessite une telle main-d'œuvre qu'il n'est pas réaliste en tant que méthode thérapeutique. Si, pour soigner des centaines de millions de personnes, il faut des milliards de femmes donneuses, des dizaines de milliards d'ovocytes et des millions de laborantins, cela n'a pas de sens.

La communauté scientifique ne l'ignore pas. Pour autant, une majorité s'est déclarée très favorable à ce que l'aventure soit tentée, hostile par principe – ce que je comprends – à tout obstacle réglementaire à la liberté d'innover. Pour obtenir un feu vert, elle a, en quelque sorte, sorti l'artillerie lourde, par peur de voir le débat public freiner ou interdire pour des motifs éthiques ses recherches. Un protocole de recherche reposant sur des ovules de femmes comme matière première n'est pas anodin. Les pays riches ne céderont-ils pas à la tentation de « marchandiser » davantage le corps féminin ? En disposant de la « recette » de la fabrication d'embryons par clonage, on aurait progressé vers celle de la production de bébés clonés. Avant d'être une question de santé publique, ce lobbying effréné m'est apparu comme une menace pour la démocratie. En effet, celle-ci ne peut se nourrir, en matière scientifique et technique, que des informations objectives fournies par les experts. D'où le danger mortel lorsque ces derniers ne disent pas ce qu'ils croient vrai mais plutôt ce qui leur apparaît de nature à faire pencher l'opinion en faveur de ce qu'ils désirent. Lorsqu'ils deviennent de « vulgaires » lobbyistes, en bref.

C'est en toute transparence que les citoyens doivent se prononcer. Le monde scientifique n'a pas pour vocation de déterminer ce qui est licite ou ce qui ne l'est pas. C'est à la communauté tout entière des citoyens qu'il revient le soin de le dire.

Il leur faut donc recevoir les informations nécessaires pour comprendre les enjeux réels des techniques de pointe sur lesquelles les chercheurs fondent à raison ou à tort des espoirs de guérison. Si les scientifiques censurent une partie de leurs connaissances pour échapper à une interdiction qu'ils redoutent, ils faussent le débat et outrepassent leurs droits. Il importe que le partage du savoir soit le plus large possible. Tout ce que la communauté scientifique annonce n'est pas toujours vrai, comme tout ce qu'elle entreprend n'est pas forcément bon.

Toute recherche mérite d'être menée, à condition de tenir compte des objections soulevées ou des problèmes posés sur le plan éthique. Je maintiens l'idée que si la recherche sur le clonage humain présente un intérêt scientifique, il est sans doute illusoire d'en espérer des effets thérapeutiques. Aujourd'hui, cette position jadis isolée, et qui m'a valu maintes inimitiés, est reconnue sage par la grande majorité des spécialistes qui ont à leur disposition des stratégies autrement plus réalistes pour parvenir à leurs fins.

Qu'on ne se trompe pas ! On m'a étiqueté à tort « adversaire déclaré » du clonage thérapeutique. En soi, il n'a rien d'indigne, d'illégitime, ou de scandaleux dans ses objectifs, il est seulement peu envisageable sur le plan pratique et pose de vraies questions éthiques. Tant mieux si nous arrivons à une médecine régénératrice à partir de cellules souches embryonnaires. Ce qui me heurte en profondeur, c'est la mystification de l'opinion publique. Rien ne me met plus hors de moi que ces scientifiques qui annoncent la fin de la maladie d'Alzheimer ou la guérison du diabète grâce au clonage humain ! C'est archifaux et scandaleux de le promettre. N'en déplaise à certains de mes collègues, la science doit se cantonner dans son rôle spécifique, celui de s'approcher du vrai, d'en informer les citoyens lorsque cela les concerne.

En haut lieu, mon indépendance d'esprit, mon opposition farouche à ces ténors médiatiques du corps médical qui promettaient la guérison prochaine de presque toutes les affections grâce au clonage thérapeutique, ma prudence quant aux perspectives mirifiques pour la santé humaine du séquençage du génome humain, m'ont sans doute fermé les portes de l'Académie des sciences. La pensée unique me fera toujours horreur. À croire aussi que je suis un rebelle. Personne ne m'enrôlera contre ma volonté !

En tant que généticien, je me sens plus que jamais conscient de mes responsabilités face à toutes les dérives possibles du progrès scientifique, et surtout leur récupération idéologique. Depuis plus d'un siècle, on exhibe en permanence des résultats scientifiques venant à l'appui de préjugés idéologiques. C'est ce type de démarche qui illustre la définition donnée par le philosophe et historien des sciences, Georges Canguilhem, de l'idéologie scientifique. Il est urgent de se prémunir contre ces préjugés qui se drapent dans les oripeaux d'une science établie dans le seul but de renforcer leur force de conviction.

La science appelle l'éthique. Mon souci est de rester vigilant et d'intervenir dans le débat public chaque fois que l'on prend la science en otage. Pour avoir été trop souvent confronté aux fantasmes engendrés par les rapides progrès et les perspectives de développement d'une médecine « démiurgique », j'ai toujours ressenti la nécessité d'encadrer le champ d'action de la science selon les principes d'une éthique humaniste qui est la mienne. La réduction de tout l'humain au biologique conduit à la déshumanisation. Décréter tout faisable au plan scientifique sans tenir compte de ce qui est souhaitable au plan humain conduit à une impasse.

Non, nos gènes ne sont pas responsables de tout. Aucun gène ne commande un destin. Ma science, la génétique, a été depuis ses origines trop souvent récupérée. Le plus redoutable, c'est le hold-up que tentent sans discontinuer les brigands de l'idéologie d'une part et ceux de la stigmatisation de l'autre. Face à la marée montante du phénomène de « génétisation » et de « biologisation » de la société, il faut offrir un rempart solide. Rien de plus inepte que de croire qu'un comportement est « codé » par un gène. Tout juste peut-on observer que, en effet, de nombreux gènes peuvent influencer les conduites humaines.

À mon grand étonnement resurgit aujourd'hui, avec une vigueur intacte, l'éternel débat idéologique entre l'inné et l'acquis. On se souvient de Nicolas Sarkozy, pendant la campagne électorale qui, au printemps 2007, n'hésite pas à faire part de sa conviction profonde que la tendance au suicide et la pédophilie sont pour l'essentiel innées, rejoignant par là le vieux courant déterministe de naturalisation des conduites déviantes et criminelles. Affirmer qu'il existe des délinquants de naissance revient à nier l'importance et l'influence de l'environnement et de l'éducation. Si tel était le cas, aucune action ne servirait à lutter contre la délinquance. Pourquoi organiser une police de proximité ou demander à des sociologues de réhabiliter les quartiers en difficulté ?

Nous voilà de nouveau dans l'illusion scientiste ! Prétendre qu'on est infidèle ou alcoolique pour d'implacables raisons génétiques, c'est s'exonérer de toute responsabilité. Admettre l'existence de bases matérielles, génétiques, cellulaires à la pensée coule de source, elle ne s'y réduit pas. Encore une fois, la génétique est mise à toutes les sauces, et le déterminisme génétique a refait surface avec les tests ADN pour encadrer le regroupement familial. Pourtant, les députés français reconnaissent depuis 1994 que la famille humaine ne doit pas être réduite à sa dimension biologique ; on est enfant par le sang, mais aussi par le cœur. En 2008, de nouveau la polémique fait rage quand Thierry Mariani, député UMP, propose un amendement au texte sur l'immigration conditionnant le regroupement familial à un test ADN de filiation, en absolue contradiction avec la loi de 1994. Scandalisé par cette conception, je suis « monté au créneau » et je n'ai pas ménagé ma peine pour faire reculer cet amendement inacceptable. La connivence entre la science et l'idéologie est dangereuse.

Et l'Homme dans tout ça ? C'est la question posée par un enseignant gréviste en novembre 1995 qui est à l'origine de ma réflexion face aux transformations économiques et sociales. Dans mon livre qui porte ce titre.

je m'étais appliqué à montrer que la valeur de l'homme pesait peu en cette fin du XXe siècle, et cela reste vrai au début du XXIe siècle. Copernic a chassé l'homme du centre de l'univers, Lamarck et Darwin du sommet de la création, Freud de la maîtrise de soi, notre société a tendance à le chasser du cœur de ses projets. Quel est le devenir de l'homme ? La génétique, les biotechnologies, le clonage humain, l'assistance médicale à la procréation, les essais sur l'être humain, les plantes transgéniques, la place de notre espèce dans la nature, le déterminisme et la liberté, le racisme, la sexualité, autant de questions de débats et de choix qui s'offrent à l'homme. La connaissance est un droit, la technique qui en découle est souvent une chance. Dissociées des valeurs éthiques, au premier rang desquelles la solidarité, la maîtrise croissante des mécanismes de la vie par la science et les forces du marché constituent cependant bel et bien une menace pour l'humanité. Face à la montée des intégrismes de tous bords, j'essaie de maintenir le cap de ma réflexion humaniste.

Adoptées en France en 1994, révisées en 2004, les lois de bioéthique s'apprêtent à être révisées une deuxième fois, comme prévu il y a cinq ans. À mon sens, cette périodicité obligatoire des révisions de la loi est vaine. L'innovation, l'imprévisibilité des situations et l'imagination des chercheurs l'emporteront toujours sur la prévoyance des législateurs. Les pratiques évoluent à grande vitesse, et la loi de bioéthique devient caduque. La réviser tous les cinq ans ne sert à rien. On fait fausse route. Imaginons qu'une technique révolutionnaire voie le jour et qu'elle soulève de redoutables questions éthiques, faudra-t-il attendre à nouveau cinq longues années pour légiférer ?

Introduction

L'idée d'une loi qui prévoit dans le détail tous les cas possibles et imaginables est absurde et dangereuse : tout ce à quoi le législateur n'aura pas pensé deviendra autorisé ! Il n'y a rien de mieux qu'une loi cadre. C'est à la jurisprudence et aux commissions *ad hoc* créées d'indiquer l'esprit de la loi face à de nouvelles techniques, et ce, en temps réel et continu. Loin de moi l'idée que légiférer ne serait pas nécessaire. Mais le faire à partir d'une connaissance approfondie de la science, de la société, et d'une vision de l'homme. La loi indiquera ce qui doit être protégé chez l'homme et qui apparaît menacé. Elle favorisera tout ce qui contribue à l'exercice de son libre arbitre, c'est-à-dire la manifestation de son autonomie et stipulera qu'il convient de se prémunir des conséquences inverses, l'objectivation et l'assujettissement. Il reviendra alors à des agences et comités d'interpréter l'esprit de la loi lorsqu'ils seront saisis de questions nouvelles et particulières. De plus, en cas de dérive, elles joueraient le rôle de sentinelles et demanderaient au législateur de reprendre la main.

Si la base de toute morale est la réciprocité, c'est-à-dire l'évidence de la valeur de l'autre, les visions matérialistes, spiritualistes, humanistes, voire utilitaristes s'accorderont souvent. Les clivages ne sont pas toujours là où on croit. Le clivage essentiel réside entre les visions scientistes ou pragmatiques de la science. Selon cette dernière approche, la recherche est scientifiquement justifiable mais moralement neutre. La qualité de la science ne dit rien de sa valeur morale. Pour le scientisme, en revanche, la science bénéficie d'un préjugé favorable parce qu'elle est la vérité, ce qui est préférable à l'obscurantisme. Croyants ou incroyants partagent l'un ou l'autre point de vue. Quand le débat porte sur l'euthanasie ou l'embryon, les catholiques, pour leur part, opposent des avis extrêmement tranchés, encore que, à titre individuel, bon nombre d'entre eux se montrent plus flexibles. Parce qu'elles ressortissent à l'intime, tout en engageant notre idée de l'homme, les questions de bioéthique transcendent les clivages politiques et idéologiques traditionnels. Comment se forger une conviction acceptable par le plus grand nombre ?

Plus j'avance, plus je me définirais comme un casuiste pour qui le « rigorisme antijésuitique » du pape est une glaciation antihumaniste injustifiable. Seule la casuistique est, à mes yeux, une approche honorable de l'éthique. L'objectif, c'est de déboucher sur un consensus entre toutes les familles spirituelles, né de la simple application de valeurs communes par essence humanistes, lesquelles valeurs méritent qu'on prenne le temps de les définir, de les affiner, de les expliquer, de les transmettre.

Matérialiste darwinien, je considère que la vie n'a pas de sens. Agnostique irréductible, je ne crois pas à la création du monde, à un principe transcendantal de toute chose et de toute pensée, à l'Esprit déconnecté de l'humanité. Étranger à toute gnose, je n'utilise pas le mot athée qui correspond à une certitude et à un engagement ; l'athée ne croit pas, mais croit aussi qu'il ne faut pas croire et qu'il convient de pourfendre la foi. Rien de tel dans ma pensée. Le prosélytisme religieux ou athée m'est étranger. Ce qui m'importe le plus, c'est le sens à donner à une vie qui n'en a pas en elle-même, cela est ma responsabilité. Une seconde après ma mort, j'aurai oublié tous ces éléments qui ont fait ma vie. Cela n'empêche pas que, au cours de cette vie, l'itinéraire que j'aurai emprunté, les décisions que j'aurai prises importent.

Le souci de mon itinéraire n'est pas celui d'un chrétien, qui pense manifester sa codivinité par ses choix, ces derniers lui permettant de rejoindre le royaume de Dieu, s'ils ont complu à ses desseins. Je sais pour ma part que l'introspection à laquelle je m'astreins ne prépare à rien. Les décisions prises et à prendre, je m'interroge aussi pour en connaître les racines. Qu'est-ce-que « moi » ? N'ai-je pas traversé nombre d'événements qui m'ont modelé et ont laissé en moi une empreinte profonde ? Puis-je alors me revendiquer libre et responsable de mes pensées et de mes actes ? Qu'est-ce qui est du ressort de « ma » décision ? Quelle est vraiment « ma » liberté ? Cette interrogation demeure pour moi un souci permanent. J'en évoquerai certains aspects dans cet ouvrage. La liberté des choix n'est pas la seule à mériter d'être questionnée, celle des mots utilisés pour en rendre compte pose elle-même problème. Les tabous abondent, sur les femmes, sur les différences sexuelles et ethniques... Ce qui importe, c'est d'éviter d'aggraver par le discours le mal-être des personnes. Un discours est émis mais aussi reçu. Il n'est pas possible de faire abstraction de son impact sur ceux qui le reçoivent. Je m'efforcerai dans mes propos, tout en reconnaissant la difficulté de l'exercice, de trouver la voie étroite entre le politiquement correct et la brutalité peu soucieuse de la fragilité d'autrui.

1

L'édification
d'une personnalité morale

À la différence de mes frères, j'ai entrepris des recherches généalogiques sur les origines de notre famille. Pure curiosité ? Comment nier que l'on est modelé par son éducation ? L'éducation reçue, le milieu dans lequel on est élevé, les valeurs transmises par nos grands-parents ou nos parents nous façonnent. Quelle est ma part de liberté de penser quand je me penche sur mon passé ? En quoi suis-je déterminé par le milieu d'où je viens ? Quelles valeurs ai-je reçues ? À quel point ai-je su ou voulu m'en détacher ?

La généalogie de ma famille

Kahn est un nom juif alsacien. Mon grand-père, André Kahn, vit à Nancy où sa famille s'est repliée après la défaite de 1870. Issu d'une lignée comprenant un rabbin, sa famille y possède une grande galerie commerciale qui tourne bien, et André vit comme un fils de la bourgeoisie aisée de province. Mobilisé en 1914, il écrit jusqu'à la fin de la guerre quasiment une lettre par jour à sa future femme, Blanche Sismondino. D'origine italienne et bourguignonne, elle est catholique et pratiquante. Mon frère Jean-François a pris le soin de réunir ces lettres d'amour et de les publier sous le titre : *Mémoires de guerre d'un juif patriote*. Laïc, grand admirateur de Clemenceau, la guerre de 14 hante mon grand-père. Il ne se lassera jamais de nous la raconter. À l'armistice, il épouse celle qui l'a attendu. Le couple s'installe à Paris, près du parc Monceau, dans le VIIIe arrondissement. Déjà mère de son côté d'un fils, Maurice, qu'elle présente comme son frère, Blanche, ma grand-mère, garde le secret. Mon père Jean et son frère Jean-Claude découvriront très tard que cet oncle est un demi-frère. Sa fin tragique – couvert de dettes, il s'enfuit aux colonies où il meurt – a profondément marqué la famille Kahn.

Le krach de 1929 ruine mon grand-père André, ou du moins l'oblige à diminuer de beaucoup son train de vie. Il devient avocat d'affaires dans le VIIIe arrondissement. Ici prend place un épisode qui a marqué la mémoire familiale. Ce revers de fortune le conduit à tenter de se suicider. Ayant échappé de justesse à cette tentative, il fait venir à son chevet son fils Jean, mon père, avec qui le lien s'était distendu du fait de son engagement communiste. Entre le grand bourgeois et le jeune révolutionnaire, le dialogue était devenu quasi inexistant. Militant aux Jeunesses communistes, mon père, jeune homme de dix-huit ans, garde un souvenir ému de ses conversations et de ses confidences avec son père, homme cultivé, cynique et voltairien en diable.

Sous l'Occupation, André Kahn, éloigné de toute pratique religieuse, agnostique et anticlérical, ne comprend pas que lui, vétéran de Verdun, soit persécuté en tant que juif et contraint de porter l'étoile jaune à partir de

1942. Il est d'autant plus incrédule qu'il reste attaché au maréchal Pétain, ce qui le conduira à rester à Paris sans se cacher et à éviter par miracle le pire.

Du côté maternel, on change d'univers. Mon grand-père, Camille Ferriot, fils de bistrotiers puis lui-même petit industriel du jouet à Mussy-sur-Seine, en Champagne méridionale, avait séduit la maîtresse d'école. Enceinte, la jeune femme, Cécile Baltis, donne naissance à une petite fille, Camille, comme son père. Camille, mon grand-père, et Cécile se marient, et divorcent peu de temps après. La jeune Camille, ma mère, vit une enfance tumultueuse auprès de sa mère. Cette ancienne chanteuse d'opéra et d'opérette, si belle, et si riche grâce à ses amants, multiplie les liaisons jusqu'au jour où elle épouse un médecin militaire des colonies en Algérie. Les relations entre la mère et la fille se dégradent, la mère ne supportant pas de voir sa fille grandir et témoigner de son âge à elle, qui refuse de vieillir. À dix-sept ans, Camille quitte l'Algérie pour rejoindre son père, à Mussy-sur-Seine. Mes arrière-grands-parents paternels y possèdent une maison de campagne où Blanche et André, mes grands-parents, passent leurs vacances avec les enfants.

Fief des évêques de Langres, la bourgade de Mussy (elle s'appelait jadis Mussy l'Évêque) est fière d'une belle allée de trois cents mètres de long, bordée de tilleuls, aux deux extrémités de laquelle se trouvent la maison maternelle Ferriot (au nord-ouest) et la maison paternelle (au sud-est). Sur cette promenade, c'est tout naturellement que se rencontrent Jean et Camille, mes parents. Un jeune bourgeois et une jeune catholique s'aiment. Il est militant communiste et elle a adhéré à l'organisation de jeunesse des Croix-de-feu. Sous l'égide du colonel de La Rocque, cette droite nationaliste, antiparlementaire et anticommuniste, qui n'est ni fasciste ni antisémite, est assez active. Rencontre incroyable entre le fils d'un grand bourgeois juif parisien en villégiature et de la fille d'un fabricant de jouets de la France profonde, petite-fille de tenanciers d'un débit de boissons ! De cette union, naîtront trois fils, Jean-François en 1938, Olivier en 1942 ; je suis le dernier. Baptisés et élevés dans la religion catholique par une mère croyante et un père plu-tôt agnostique, rien ne transparaît de nos racines juives.

L'année 1937 voit le mariage de mes parents. Ma grand-mère maternelle Cécile, elle-même demi-Alle-mande, refuse d'assister au mariage de sa propre fille. Avoir pour gendre un homme au patronyme juif la consterne, elle qui montre à l'égard des Algériens un racisme outrancier. La voilà qui devient pendant l'Occupation la maîtresse d'un colonel allemand et, peut-être, est mêlée à des activités d'espionnage. À la Libération, elle s'enfuit avec son amant et échappe de justesse aux maquisards lancés à ses trousses. Quand ma mère apprend qu'elle a été abattue d'une balle dans la tête, elle demande : « Par qui ? — Un Allemand ! — Je préfère », laisse-t-elle alors échapper. Ce dénouement arrange bien des choses, pour elle comme pour nous tous. La guerre se termine. Il y a eu un grand-père, ancien com-battant de Verdun, qui a porté l'étoile jaune et une grand-mère antisémite au bras d'un officier allemand. Un père, résistant engagé, dans les Francs-tireurs et partisans. N'est-ce pas une authentique famille française ?

Pendant la guerre, mon père, demi-juif, se fait appe-ler Dessertennes, nom du deuxième mari de sa grand-mère, Marie, dans l'institution privée où il donne des cours et dont il deviendra directeur, le cours Godéchoux.

Après une khâgne à Carnot, ses études de philosophie et de lettres assez poussées ne l'ont pas conduit jusqu'à l'agrégation, ce qu'il regrette sans le montrer. Il noircit des pages entières sans jamais publier. Avec mes frères, nous portons longtemps le nom de jeune fille de notre mère, Ferriot. Pour fuir les privations à Paris, et peut-être alarmée par la rafle du Vél'd'Hiv en juillet 1942, ma mère envoie Jean-François et Olivier chez une nourrice dans un village, Le Petit-Pressigny, en Touraine, qui compte trois cent cinquante habitants et ne voit aucun Allemand ! Ma mère s'y réfugie à son tour et j'y nais le 5 septembre 1944, avec l'aide d'une sage-femme du Grand-Pressigny, à une dizaine de kilomètres, que le facteur est allé chercher sur le cadre de son vélo.

Affaiblie par un abcès au poumon et une première poussée de tuberculose, ma mère décide de me laisser en nourrice en Touraine et rentre à Paris avec Jean-François et Olivier. Mon enfance campagnarde est heureuse… jusqu'au jour où il me faut quitter ce havre de paix pour rejoindre l'appartement parisien, au huitième étage du 26, rue des Plantes, dans le XIVe arrondissement. Mes deux frères, qui découvrent ce « petit gniard péquenot », n'éprouvent aucune tendresse fraternelle ! Elle viendra plus tard.

Adolescence

Au sein de l'école privée que dirige maintenant mon père, je suis une scolarité sans éclat. J'ai du mal à apprendre à lire. Lorsqu'on me demande pourquoi je ne veux pas lire, je réponds avec une certaine lucidité : « C'est parce que, quand je saurai lire, on me donnera des devoirs. » Je ne me trompais pas. L'institution dirigée par Jean Kahn, à deux pas du Champ-de-Mars, destinée aux enfants riches en échec scolaire, donne l'occasion à mon père de donner libre cours à son talent de pédagogue hors pair. Ses grands élèves assis en cercle l'entourent, l'interrogent, répondent à ses questions, dialoguent entre eux.

Rares sont les moments en compagnie de mes parents, d'autant qu'ils se séparent très vite. Reste le souvenir des seules vacances que j'ai passées avec eux deux dans le Jura, sans mes deux frères aînés en colonie à proximité. Immense plaisir que le mien, celui d'aller dans leur lit le matin dès qu'ils étaient réveillés. Papa me faisait la lecture de l'Évangile selon saint Jean, ce qui me ravissait. Je suis un enfant à la foi profonde, qui va à la messe et fait sa promesse scout sur le chemin de croix de Lourdes. Première communion, confirmation, communion solennelle, j'accomplis ce qu'un enfant catholique se doit de faire. Il ne me vient pas à l'esprit de manquer la messe. Un brin de mysticisme fait son apparition, l'idée de devenir prêtre m'effleure.

Pour les grandes vacances, jusqu'à mes quinze ans, je séjourne à Saint-Yzans-de-Médoc, en Gironde, chez Mlle Bésineau, sœur de l'ancien aumônier du cours que dirige mon père. C'est une vieille fille qui, jusqu'au décès brutal de ce dernier, a servi à son frère de gouvernante. Ensuite, elle décide de garder des enfants l'été pour gagner un peu d'argent. D'une cinquantaine d'années, elle est extrêmement dévote, va à la messe et lit le bréviaire de son frère tous les jours. Elle nous élève pieusement. Elle me donne aussi le goût de la cuisine et des bonnes choses. Ce que je retiens, c'est son goût pour la casuistique chrétienne. Nous élever dans la foi chrétienne inclut pour elle l'éducation du palais. Quand j'ai eu dix ans, elle a commencé à nous servir, à moi et à mon frère Olivier, un verre de vin à la fin de chaque repas, un verre de bon vin, en nous expliquant : « Ce que le bon Dieu fait de meilleur, mes enfants, ne saurait vous faire du mal ! »

Les choses se gâtent quand mes parents se séparent. Mon monde s'écroule car je vois partir, en même temps, un père que je vénère et mon grand-frère, Jean-François, âgé de seize ans, qui le suit. Jean-François est talentueux et créatif mais ses dons s'adaptent mal aux contraintes scolaires. Il a besoin d'un support que Jean Kahn, le pédagogue, est en mesure de lui apporter. Nous restons par conséquent tous les deux, Olivier et moi, douze et dix ans, avec notre mère qui supporte très mal cette séparation. Contrairement à sa mère, elle est en effet de ces femmes à la fidélité chevillée au cœur et au corps, à l'attachement exclusif. Elle n'aura aucune autre liaison et d'ailleurs refusera toujours de divorcer de son époux. Trois ans après la séparation, elle tombe malade ; une rechute grave de tuberculose l'oblige à séjourner en sanatorium. Jean-François, est contaminé, lui aussi, et fait un séjour au sanatorium des étudiants, à Paris. Quant à moi, je prends le chemin du lycée de Saint-Germain-en-Laye où on m'a inscrit comme pensionnaire en quatrième. J'ai quatorze ans, je suis séparé de mes parents, de mes frères, un peu paumé. À peine arrivé, on diagnostique un « voile au poumon », ce qui me vaut d'être envoyé sur-le-champ à l'hôpital pour un bilan complet. Afin de vérifier l'absence de méningite tuberculeuse, on me fait une ponction lombaire. Cela se passe mal. Je me mets à délirer, ai plusieurs pertes de connaissance sans cause apparente, ce qui justifie mon hospitalisation dans le service de psychiatrie infantile à la Salpêtrière. Si je raconte cet épisode, c'est parce qu'il constitue ce que j'appelle la première source de ma réflexion éthique. Me voilà conduit sans explication dans un amphithéâtre où un professeur de médecine me fait mettre nu, alors que j'étais un adolescent pré-pubère, devant quatre cents étudiants. Il leur tient à peu près ce discours : « Regardez bien. Ce garçon est hystérique. Il va s'évanouir devant vous. Ce sera une simulation. »

Comment oublier cette humiliation publique ? La brutalité hautaine de cet homme m'a longtemps poursuivie comme l'exemple même de l'objectivation du malade et de l'abus de pouvoir.

Il n'est pas question pour moi de retourner en pension, j'exige d'habiter chez ma nourrice, qui a quitté la Touraine pour la région parisienne et vit avec son fils qui a une trentaine d'années dans un petit pavillon à Argenteuil. Quelques mois de stabilité me remettent d'aplomb et, par souci de ma santé, on m'envoie séjourner dans un préventorium de Chamonix où va se dérouler un deuxième épisode crucial dans ma formation intellectuelle et morale.

C'est un des rares moments passés en tête à tête avec mon père. J'ai quinze ans, mon père me rend visite et passe quelques jours avec moi, entre le Brévent et le mont Blanc. Moment attendu, moment inoubliable. Une fois parvenu avec lui à l'aiguille du Midi, j'ai une conversation d'adulte qui me fait découvrir cet homme entièrement dévoué à la pédagogie. Soudain, il me fait l'hommage de m'accueillir et de m'écouter. Comme avec ses élèves, il déploie son talent pour me faire parler, orienter ma réflexion et faire accoucher les pensées qui sommeillent en moi. Grâce à sa maïeutique si bienveillante, il dégage un charisme immense. Jamais homme n'a eu plus d'influence sur moi que mon père. D'une haute exigence morale, il jonglait entre tous les courants de pensée, abhorrait ce qui lui semblait populaire, tombait parfois dans l'intellectualisme, voire l'élitisme, tout en restant ouvert aux autres et profondément humaniste.

Inscrit en seconde dans un collège de Jésuites à Pontlevoy, près de Blois, j'y romps brutalement avec la religion. Au début, impressionné par la beauté du bâtiment du XVIIᵉ siècle et l'autorité du préfet des études, je vis dans la crainte de Dieu, obsédé par les idées du mal, de la faute, du rachat. Je me sens obligé de me rendre à la chapelle pour y réciter cinq, six ou même huit douzaines de chapelets en pénitence. Je ne me fouette pas, ni ne me mortifie, mais je suis fervent. Vatican II permet de lire en français les textes liturgiques que je répétais en latin sans y prêter toute l'attention nécessaire. Je me rends compte que je ne crois pas un traître mot des dogmes fondamentaux, la virginité de Marie, la résurrection des corps, la vie éternelle, la sainte Trinité... C'est alors que le fil se casse. Je me détourne de la religion et deviens brutalement agnostique, l'idée de Dieu m'est désormais étrangère.

Autre choc à Pontlevoy, la révélation de ma judéité par un camarade de classe, un jeune noble breton avec qui je me bagarre dans la cour du collège. Fuse un « eh, va donc, sale juif » qui me cueille à froid. Jamais on ne m'avait dit que mon patronyme sonnait comme un nom juif. J'ignorais les origines de ma famille paternelle, et cette insulte me plonge dans un état de stupéfaction d'autant plus grand que mon père m'avait mis en garde contre tout racisme. Mise en garde qui avait eu lieu de la manière suivante : la scène se déroule dans son bureau directorial du cours Godéchoux. Je suis en neuvième ou dixième, au cours d'une querelle de gamins, j'ai traité un garçon de ma classe de « sale petit nègre ». Mon institutrice l'a répété à mon père, qui me convoque dans son bureau. Je garde encore en mémoire cette seule fois où mon père m'a frappé d'un coup avec sa ceinture sur les cuisses en ajoutant : « Tu le sais, Axel, un petit garçon bien ne peut pas dire ça. » Sa voix résonne encore dans mes oreilles. Par ces paroles, il entend me signifier qu'une injure raciste n'est pas digne de quiconque souhaite être un homme droit. Il me montre le lien entre l'immoralité de mon acte – injurier l'autre pour ce qu'il est – et la punition que je reçois. Autrement dit, si j'aspire à devenir quelqu'un de bien, je me dois de ne jamais commettre un tel acte. La voie droite, rien que la voie droite m'indique un père en la circonstance impressionnant.

L'impératif formulé par mon père a le mérite d'être simple, à défaut d'être facile à expliciter. Qu'est-ce que se comporter comme un type bien ? Faute de respecter cette obligation, on ne mérite pas la considération paternelle. Chacun se doit d'accomplir ici-bas son devoir, sans faiblir ni faillir. Disciple de Gurdjieff, mon père est un pur intellectuel ayant un goût immodéré pour l'érudition, à la limite de l'ésotérisme. Son but, c'est de façonner les êtres pour les amener à se réaliser tout en sachant que la porte est étroite pour devenir quelqu'un de bien. Seul un groupe d'élus peut trouver sa voie vers le salut.

Un père omnipuissant et deux frères ultraprésents ne laissent pas beaucoup de place au seul élément féminin de la famille, à savoir notre mère. C'est une mère dévouée et une épouse éprise, au verbe haut et aux colères homériques. Autodidacte, issue de la France profonde, marquée par son enfance malheureuse, d'un bon sens terrien, elle tranche avec le milieu intellectuel de son mari. Fascinés par l'éclat du père, ses fils l'aiment, certes, mais la méconnaissent. Délaissée par son mari qui est obsédé par sa quête de l'absolu et jamais satisfait par une relation avec une seule femme, elle se sent étrangère au noyau familial agrégé autour du père, noyau exclusivement masculin. Bien plus tard, trop tard dirais-je, nous lui ferons la place qu'elle mérite, l'associant à nos débats et à nos combats, découvrant une femme entière, capable d'indignation, au tempérament bien trempé, intelligente, originale et courageuse.

Un jeune militant

Eu égard à ma famille, il m'est impossible de rester à l'écart de la vie politique. Rien de plus normal que de s'engager, ce qui me pousse dans un premier temps à épouser la cause communiste. Bien que j'aie perdu la foi face aux invraisemblances du dogme, la certitude de la haute valeur morale de la lutte contre l'injustice ne m'a pas abandonné. Voyant que le PCF se place du côté des moins favorisés pour essayer d'améliorer leur situation, je me sens poussé par l'envie de lutter contre l'existence de classes privilégiées au sein d'une société française aux prises avec les guerres de décolonisation qui me révoltent. Si je ne crois plus, je n'en reste pas moins profondément attaché aux valeurs chrétiennes. Mais comment faire vivre et penser l'humanisme en dehors de la référence religieuse ? Je me rends compte que d'autres personnes hors les chrétiens se battent contre les injustices et pour aider les plus faibles : les communistes. Avec la même ardeur que j'avais mise à servir l'Église, je rejoins alors les rangs de la gauche communiste. Et refais un parcours initiatique, en politique cette fois. Lycéen à Paris, j'habite avec ma mère et mon frère Olivier, près de la Porte de Versailles, sans Jean-François qui vit avec mon père. Au lycée Buffon où je suis inscrit en première, j'adhère d'abord aux Jeunesses socialistes unifiées puis aux Jeunesses communistes, histoire de suivre les traces de mes parents qui furent tous deux membres du PCF, pour un temps très bref en ce qui concerne ma mère, issue de la droite catholique. Rien de bien original dans ma démarche ! Sans transition, je passe de l'humanisme chrétien à l'humanisme de gauche. Ma foi catholique a ancré en moi la notion de mal lié à l'injustice, tout comme la conception chrétienne de la charité a fondé mon action politique.

La France est plongée dans la guerre d'Algérie, quand je deviens secrétaire des JCF du lycée Buffon. On est en 1961, j'ai dix-sept ans. En dehors des heures de cours, en tant que responsable, je distribue des tracts à la sortie du lycée, colle des affiches à tout-va, recrute de nouveaux adhérents, le tout avec beaucoup d'application et force de conviction. Parler du haut d'une tribune me plaît, je m'y abandonne avec délectation, ce qui sera vrai toute ma vie. Aucune appréhension ni hésitation de ma part, porter la bonne parole me va comme un gant. Doté d'un tempérament bagarreur, faire le coup de poing quand des étudiants d'Assas pro OAS viennent en force aux portes du lycée me ravit tout autant. Après la charge de la police au métro Charonne en février 1962 contre les manifestants qui ont répondu à l'appel des organisations de gauche et des syndicats contre un attentat de l'OAS au cours duquel une petite fille avait perdu la vue, huit personnes meurent écrasées contre les grilles. On dénombre une centaine de blessés.

La grève générale est décrétée au lycée. J'impose à tous les membres du cercle communiste du lycée de porter un brassard noir, fais interrompre les cours et évacuer les salles et monte un piquet de grève avant de nous rendre aux obsèques des victimes de la manifestation enterrées au cimetière du Père-Lachaise, près du mur des Fédérés. Rien ne me paraît plus juste que la lutte du PCF contre les guerres coloniales. Par-dessus tout, j'aime ces gens engagés comme moi, désintéressés et capables d'un dévouement sans limites.

Inscrit à la faculté de médecine, en communiste convaincu, j'adhère à l'Union des étudiants communistes où je mène un combat contre les « Italiens » que le parti me demande de faire rentrer dans la ligne ou d'expulser. Il faut bouter hors de la direction du parti ces déviationnistes, ce que je mène à bien sans aucun état d'âme en bon apparatchik que je suis alors. La ligne du « parti de la classe ouvrière » me semble la bonne, et je m'applique à la faire respecter, y compris par l'exclusion de tous ceux qui en dévient, ces traîtres à la lutte ouvrière. En tant que membre du bureau national de l'Union des étudiants communistes, je côtoie la plupart des dirigeants communistes de l'époque, des plus staliniens comme

Roland Leroy, responsable de la jeunesse, ou Jacques Chambaz, professeur d'histoire au lycée Buffon.

Militer ne m'empêche pas de continuer mes études de médecine que j'avais choisies par défaut. Papa était philosophe, Jean-François avait commencé des études d'histoire avant de s'orienter vers le journalisme. Olivier était un brillant élève et par conséquent mon rival. Après son choix d'embrasser des études scientifiques, il ne me restait que la médecine.

Médecin de brousse

Interne des Hôpitaux de Paris, en 1967, j'ai vingt-trois ans et mon sursis tombe. À peine marié, je pars en coopération, après un bref stage à Marseille où j'apprends à opérer les chiens afin de m'entraîner à la chirurgie, à arracher des dents, ou à accoucher. Médecin chef de la préfecture de Haute-Kotto en République centrafricaine, je m'y installe juste après le coup d'État de Bokassa. Médecin chef, le terme est quelque peu pompeux ! Je suis le seul médecin, le seul dentiste, le seul obstétricien, le seul chirurgien de la Haute-Kotto, région au nord-est de la République centrafricaine, célèbre pour ses diamants. Elle est peuplée par l'ethnie banda qui ignorait l'écriture avant l'arrivée des Blancs. Trois bonnes sœurs blanches me secondent. Le personnel noir dont je dispose, c'est-à-dire un agent technique, un chauffeur, un boy et plusieurs infirmiers, mérite toute mon admiration – ce qui n'est pas le cas pour les Blancs qui m'entourent en dehors des trois religieuses. En toute objectivité, ils sont épouvantables et méprisables sur le plan humain, des machistes dénués de tout scrupule, venus faire de l'argent et profondément racistes. Cette expérience me vaccine définitivement contre le racisme.

Un jour, sur une piste cahoteuse, la voiture conduite trop vite percute un baobab. Un avion était parfois à ma disposition pour certains de mes déplacements, mais pas dans ce cas. Je suivais la grossesse de la femme du directeur d'une mine de diamant, et seule la route était possible pour s'y rendre. Ne nous voyant pas arriver, le directeur de la mine télégraphie à la brigade de gendarmerie de Bria, la préfecture de Haute-Kotto. Une patrouille part à notre recherche et nous trouve avant que les animaux nous dévorent. Mon chauffeur a été tué sur le coup, je suis dans le coma. On me rapatrie à Bangui, et de là à Paris au Val-de-Grâce. Je pars ensuite me reposer à Mussy-sur-Seine, où j'écoute sur un transistor les événements du printemps 1968. Rentré à Paris le 13 mai, le visage bandé, le bras dans le plâtre, plein d'ecchymoses, je me promène le 14 mai au Quartier latin. Des étudiants qui me prennent pour un manifestant affreusement blessé me portent en triomphe ! Avouons-le, je ne les ai pas détrompés !

Le bouillonnement de Mai 1968 ne m'atteint guère, faute de sentir où cela pouvait mener, c'est-à-dire à mes yeux, pas bien loin. Ma défiance envers le gauchisme et son aveuglement en sort renforcée. Ma phase de militantisme au sein du PCF est intense, d'abord au sein d'une cellule dans les usines Citroën où je découvre, moi, le fils d'une famille bourgeoise et intellectuelle, un monde que je ne connaissais pas, un monde fait de fraternité qui m'enchante. Je retrouve le plaisir des discours enflammés, avec effets de manches et joutes oratoires. J'y

41

exerce mon talent d'orateur et y confirme le goût de convaincre un auditoire.

Après l'invasion de la Tchécoslovaquie, je reste au PCF sans plus trop croire au rêve communiste mais par attachement à l'atmosphère affective de la famille communiste. Loin de moi l'envie de laisser tomber tous ces gens investis, qui croyaient dur comme fer à un monde meilleur, et avec qui j'avais parcouru un bout de chemin. Camarade médecin à Malakoff, dans la banlieue sud de Paris, je soigne des travailleurs manuels pour la plupart, mais aussi enseignants, instituteurs, professeurs du secondaire, qui tous après leur travail se rendent à des réunions de leurs cellules, à des concerts ou au théâtre, parfois aux cours dispensés par le parti. Ce sont eux qui me retiennent dix ans de plus au PCF. L'affection et l'estime que je leur porte m'empêchent de rompre, je me persuade qu'ils ne me pardonneraient pas mon départ et que je créerais chez eux une immense déception en les quittant. Mais l'absence totale de pratique démocratique au sein du PCF me déplaît de plus en plus, et la situation des pays du socialisme réel finiront par m'ouvrir les yeux.

La rupture de l'Union de la gauche m'éloigne du PCF, après dix-sept ans de bons et loyaux services, que je quitte pour un bref passage au PS. Deux ou trois ans qui me laisseront perplexe sur les capacités de sérieux de ce parti ! La faiblesse de l'organisation socialiste me laisse pantois quand je tente d'organiser le premier cercle socialiste à l'hôpital Cochin dans les années 1980. Voilà qui met fin à mon engagement politique.

Si ma vie de militant au sein d'un parti s'achève ainsi, je n'en reste pas moins un homme de gauche. Je ne porte aucun jugement négatif sur le militantisme politique et, à mes yeux, l'ennemi reste le capitalisme et son iniquité profonde. Désormais j'œuvre plutôt pour permettre à chacun de se forger son libre arbitre, gage de la qualité d'un engagement. Je refuse de restreindre ma réflexion et mes interrogations aux limites fixées par un parti. Ce qui m'importe, c'est le respect d'autrui, le souci de l'autre, tout ce qui contribue à l'optimisation des conditions d'édification des personnes, y compris celles que je ne connais pas ou qui ne sont pas encore nées.

Notre société alterne malheureusement avancées et reculs, pour ce qui concerne ces principes-là. La pratique est souvent très en retrait des grands discours. Ce souci de l'autre constitue l'horizon de ma réflexion et préside à la refondation de ma pensée morale à laquelle je me suis attelé. Existe-t-il un Bien et un Mal ? La réponse est oui, sans aucun doute, et je prétends les connaître, ils concernent la relation à l'autre. Il n'est pas de projet politique valable qui ne place au centre de ses préoccupations l'édification d'une société propice à l'épanouissement des citoyens, c'est-à-dire qui n'ait de visées morales. Mon éducation catholique a mis au cœur de ma pensée la notion essentielle de l'amour du prochain. L'autre est la condition de moi, je lui rends la pareille, nous sommes indispensables l'un à l'autre. Mon questionnement change, et la fin de mon militantisme politique coïncide avec le début de mon implication dans la réflexion éthique. Je commence à creuser mon sillon dans ce terreau.

Raisonnable et humain

17 avril 1970. Interne en hématologie à l'Hôtel-Dieu, j'ai vingt-six ans. À mon grand étonnement, on me téléphone à plusieurs reprises dans la matinée pour me demander des nouvelles de mon père. Comment en aurais-je ? Il avait quitté le cours Godéchoux car il désirait s'intéresser à d'autres jeunes que ceux issus de la bourgeoisie aisée et avait alors fondé une école, inspirée par l'esprit de Mai 1968, ouverte aux élèves moins fortunés, école qui perdait beaucoup d'argent, eu égard à son incapacité à la gérer. Je le voyais peu, chacun était pris par sa vie. Il avait quitté son appartement, personne ne l'avait vu arriver à l'école. Au milieu de l'après-midi, rentré chez moi, un message de la gendarmerie de Mantes-la-Jolie m'attendait. Avant même que j'aie eu le temps de rappeler, une de mes cousines m'apprend au téléphone que mon père est mort. Arrivé à toute allure à la gendarmerie, j'apprends qu'il s'agit d'un suicide. Son corps a été retrouvé sur la voie de chemin de fer, près de la gare de Mantes-la-Jolie. Il avait laissé une lettre trouvée à la place qu'il occupait dans le train d'où il s'était jeté. Il me fallait reconnaître le corps. Comme le train roulait à grande vitesse, son visage et sa boîte crânienne avaient éclaté sous le choc ; seul un quart en avait été conservé. Je prends connaissance de la lettre qui comporte diverses dispositions matérielles. Le plus crucial, c'est le début qui explique les raisons de son choix : « Tu es de mes trois fils le plus à même de faire durement les choses nécessaires » ; et il termine par ces deux phrases : « Tu embrasseras mon petit-fils pour moi (il est né le jour

de ses obsèques et porte le nom de son grand-père ; ce devait être Emmanuel, ce sera Jean-Emmanuel). Sois raisonnable et humain. » Ce message m'a tenaillé et me tenaille toujours. Cette lettre a eu l'effet d'un électrochoc. Quarante ans plus tard, son sens précis m'échappe encore.

Que voulait-il dire ? Avait-il choisi de quitter le monde parce qu'il n'y trouvait plus d'intérêt ? Qu'est-ce qui lui était insupportable ? Me pensait-il, en tant que médecin, moins émotif que mes frères ? Me considérait-il comme plus dur à cause de ce métier qui m'avait habitué à la souffrance et à la mort ? Dans ces circonstances tragiques, me croyait-il capable de surmonter mon émotion ? Me trouvait-il inhumain en tant que fils, militant, ou médecin ? N'avais-je pas été un « chic type » ? Quel sens donner à cette injonction d'être raisonnable et humain ? Est-ce qu'il me demandait de tempérer mon ardeur de militant, mon goût pour l'action immédiate, mes éclats de violence intellectuelle dont il avait été le témoin ? Étais-je capable à ses yeux d'accepter l'autre tel qu'il était, et non pas tel que j'aimerais qu'il fût ? Pouvais-je désobéir ? Pourquoi « faire durement » les « choses nécessaires », celles qui sont moralement légitimes ?

Cette disparition brutale et la lettre qui l'accompagnait ont changé le cours de ma vie. Il avait cinquante-quatre ans, j'en avais vingt-six. On ne guérit pas d'un tel choc. Comment mon père, cet homme libre, en pleine possession de ses moyens, en est-il arrivé à l'idée de mettre fin à ses jours ? Pourquoi aucun de ses trois fils à qui il avait tant donné n'avait-il senti son désespoir ? On dit communément que la vie d'une personne lui appartient plus qu'à quiconque. Quelle est cette liberté singulière de perdre la vie ? Elle me semble fausse. N'est-ce pas une fuite ? Il n'y a pas de manière d'être aussi peu libre que d'être mort. Être libre, c'est avoir le droit de changer d'avis. Quelle signification donner à la décision de mon père et à la terrible lettre qu'il m'a laissée pour tout héritage ? Il me fallait trouver la voie qu'il m'avait désignée.

Me suis-je jamais remis de sa mort ? L'amour que je lui portais, doublé d'une sorte de dévotion, était si intense que son absence créait un vide immense. D'abord je me suis tu, cachant la lettre à mes frères, fou de chagrin, incapable de trouver les mots. Longtemps, j'ai souffert de sa mort, les larmes aux yeux chaque fois que je pensais à lui. Le pire, c'est en Corse quand, huit ans après sa disparition, le chagrin m'a submergé. Avec un groupe d'amis randonneurs, je parcourais la partie sud du chemin de randonnée, le fameux GR 20, en direction du mont Incudine. Le spectacle était splendide, et l'impossibilité de partager la beauté du paysage avec mon père comme à Chamonix, trente ans plus tôt, m'a semblé insupportable. J'ai accéléré le pas, laissé en arrière mes amis pour ne pas leur montrer mes larmes et, à toute vitesse, j'ai escaladé jusqu'à en perdre l'haleine. Une fois au sommet, l'apaisement est venu.

Peu de temps avant le suicide de mon père, interne de garde à l'Hôtel-Dieu, un jeune médecin de trente ans était arrivé aux urgences, encore d'aplomb malgré l'absorption de deux cent cinquante comprimés d'Anafranil, un antidépresseur : « Je sais que je vais mourir, mais maintenant je ne le désire plus, alors fais ce que tu peux », m'avait-il dit. C'était trop tard. Il est mort dans mes bras. S'interroger sur le degré de liberté de cet homme, c'est se demander à quel moment il a été le plus libre. Est-ce le moment où il choisit de se donner la mort ou quand il s'est ravisé, et alors il était trop tard ?

Le désir de mort est naturel, et à tous les âges. Médecin urgentiste, réanimateur, hématologue, cancérologue, j'ai plus d'une fois été confronté à cette demande, ce qui a nourri, au fil des années, ma réflexion en matière de fin de vie. Dans ces services lourds, on prend en charge des malades qui demandent à mourir ou tentent de mettre fin à leurs jours, d'autres qui tiennent éperdument à la vie. Alors que je suis chef de clinique en hématologie à l'hôpital Beaujon, une jeune fille leucémique en rechute terminale et à laquelle je m'étais attaché m'apostrophe un matin : « Docteur Axel, je sais que maintenant c'est fini. Mais moi j'aime la vie. Je ne veux pas mourir. C'est ton job, fais donc quelque chose. » Sentir mon impuissance m'a donné envie de fuir son regard comme un lâche. La victime, c'était quand même elle. Pour un médecin, ne pas guérir est un échec, et soulager son patient alors même qu'il ne peut plus le guérir est un devoir.

Combien de chagrins ai-je eus ? Il y a ce garçonnet de onze ans étouffé par un éboulement dans une carrière où il jouait. Après plusieurs massages, son cœur était reparti. Placé sous ventilation artificielle, il était plongé dans un coma profond. En fin de soirée, je crois voir une légère amélioration qui me rend éperdument heureux, ses pupilles réagissent à la lumière. Après quelques heures de sommeil, à cinq heures du matin, je vais le voir. C'était fini, les pupilles étaient dilatées et immobiles, ses membres rigides indiquaient la destruction du cerveau. Encore aujourd'hui, je me rappelle avec émotion la joie qui m'avait saisi et l'abattement qui s'est ensuivi.

Chaque médecin a son petit cimetière sur lequel il médite : ceux qu'il n'a pas sauvés, ceux qu'il aurait pu sauver, ceux qu'il aurait dû sauver. Parmi les milliers de malades que j'ai soignés, en Afrique, à Beaujon, ou ailleurs, le cas de la jeune femme victime d'un accident à la suite de la chute d'un ascenseur m'est resté en mémoire. Arrivée consciente dans le service de réanimation où j'étais de garde, sans blessure apparente, elle se plaignait de douleurs thoraciques inexpliquées. Elle souffrait d'une rupture encore incomplète de la crosse de l'aorte, fréquente dans ce type d'accident ; sur le moment je n'y ai pas pensé. Il n'est pas sûr que j'aurais eu le temps de la faire opérer si je l'avais diagnostiqué.

Combien de fois ai-je abrégé la vie un malade ? Le maître mot, c'est soulager, quand il n'y a plus d'espoir de guérison. Arrive le moment où les médicaments qui soulagent doivent être employés, pour être efficaces, à des doses telles qu'ils peuvent abréger la vie, et le médecin se doit de les prescrire. C'est une évidence, et il existe aujourd'hui un consensus à peu près général pour reconnaître qu'éviter la douleur physique et psychique, parfois la terreur d'un mourant, est un devoir qui l'emporte de loin sur la volonté de prolonger la vie. Maintes fois il m'est arrivé de contribuer à faciliter la fin d'une vie dont je ne savais plus maintenir la qualité.

Docteur et chercheur

Après plus de vingt-cinq ans d'exercice, en 1992, je mettais fin à mon activité de médecin pour me consacrer à la recherche, que j'ai toujours menée en parallèle, dans le domaine de la biochimie, puis de la génétique. Rien ne m'y obligeait, mais j'en ai ressenti la nécessité après une garde très éprouvante. Une jeune femme qui avait avalé un flacon d'eau de Javel était en piteux état, après plusieurs mois d'évolution marquée par toutes les complications habituelles de ces situations : nécrose de l'œsophage, médiastinite, septicémie, fistule... À quatre heures du matin son état empire, s'aggrave. On me réveille, ce qui déclenche chez moi une drôle de réaction : « Bon Dieu, pourquoi n'est-elle pas partie avant ? » Cette pensée, indigne d'un médecin réanimateur, a joué pour moi le rôle d'un signal d'alarme. Il était temps que je m'arrête.

J'ai aimé être médecin des pauvres et des braves gens au dispensaire de Malakoff ; j'ai aimé être médecin hospitalier. J'ai aimé être médecin de brousse. Pour autant, dès le début de mes études, l'approche scientifique de la médecine m'a passionné, et en particulier la biochimie. L'hématologie est dans les années 1970 la discipline la plus scientifique, et ma thèse porte sur les déficits enzymatiques en glucose 6-phosphate déshydrogénase dans les globules rouges, qui provoquent une anémie hémolytique déclenchée ou aggravée par des médicaments (antipaludéens), ou des aliments (fèves). En peu de temps, mes recherches dans le champ des enzymopathies me font connaître. D'abord sous la houlette de Pierre Boivin à l'hôpital Beaujon, je suis recruté à l'Inserm dans son unité. En 1976, je rejoins la faculté de médecine Cochin, dirigée par Georges Schapira, fondateur de la pathologie moléculaire en France et qui travaille sur la biologie moléculaire du gène et la synthèse des protéines. En 1984, je succéderai à son ami et associé Jean-Claude Dreyfus à la tête d'une grosse unité de l'Inserm. Chercheur, rescapé des camps, avec qui j'aime travailler dans une relation père-fils assez intense, il est quant à lui spécialisé dans la génétique des désordres innés du métabolisme. Biochimiste des maladies métaboliques, je m'intéresse dès cette époque à la génétique moléculaire, et en priorité aux maladies génétiques. Par intérêt porté aux leucémies, ces anomalies acquises du sang, j'en viens aussi à mener des recherches dans le domaine du cancer. Durant ma carrière scientifique proprement dite, j'ai eu la joie – elle est alors immense – de faire, avec les équipes que je dirigeais, de grandes découvertes. Une dizaine d'entre elles ont été publiées dans la célèbre revue *Nature* et ses collections dérivées. Ces percées traitent du fonctionnement des gènes, de leur contrôle par l'alimentation, de la thérapie génique et de ses perspectives, du cancer et du métabolisme du fer dans l'organisme. Ces derniers résultats ont été une révolution dans ce domaine, ils sont déjà enseignés dans les manuels et déboucheront sur d'immenses progrès thérapeutiques concernant sans doute des dizaines de millions de personnes. À côté de ce travail de recherche, je ne chômais pas non plus : rédacteur en chef de la revue *Médecine/ Sciences* à partir de 1986, on me choisit en 1988 pour présider la Commission du génie biomoléculaire, chargée d'évaluer les propositions d'essais de plantes génétiquement modifiées.

L'année suivante, je suis rapporteur d'un important colloque organisé par François Gros intitulé « Patrimoine génétique et droits de l'humanité », ce qui marque mon entrée dans le champ médiatique. En 1992, je deviens membre du Comité consultatif national d'éthique (CCNE), date à laquelle je renonce, en même temps qu'à la réanimation, à une pratique médicale de la médecine générale et de l'hématologie. Il s'ensuit toute une série de prises de position, d'actions et de participations à de nombreux débats qui agitent la société : des OGM au clonage, de l'ADN aux conditions modernes de procréation... Le danger d'un raz de marée de génétisation ou de biologisation de la société grandit sans cesse. On court vers la négation de la spécificité de l'humain parce qu'on oublie que le principal danger de la génétique, c'est son utilisation à des fins idéologiques. Cette tentation marque un net retour à une conception très ancienne de naturalisation des comportements humains, mise entre parenthèses du fait de l'usage qu'en avait fait le nazisme.

Mon intérêt pour la bioéthique n'est pas le fruit du hasard. Chevillé au corps, mon souhait le plus fort est de ne jamais adopter une position de méfiance vis-à-vis de la science, mais de discerner ce qui relève d'une intention éthique acceptable, respectueuse de la liberté individuelle, de la justice sociale et de la dignité des personnes. C'est le résultat d'un long cheminement, nourri par une passion pour l'histoire des sciences et des idéologies du XIXe et du XXe siècle, renforcé par mon éducation, imprégné par mon expérience médicale, déterminé par la feuille de route laissée par mon père, lié à mon engagement politique, animé par le souhait de trouver la « voie bonne », le tout passant par le respect inconditionnel de l'altérité. Matérialisme, rationalisme, empirisme, définissent ma pensée. J'y ajouterai aussi solidarité et, évidemment, humanisme.

Si j'ai été communiste dans ma jeunesse, c'est parce que je considérais le communisme comme humaniste. Je dois reconnaître aujourd'hui qu'en revanche sa pratique ne l'a pas été. Imaginer un monde meilleur, c'est affirmer que rien n'est plus important que de manifester sa considération pour l'autre. Aujourd'hui, la marchandisation croissante des corps ou celle de la santé, fruit de l'ultralibéralisme, porte atteinte à l'humanité de l'homme, à sa dignité. Plus que jamais, il faut veiller à transformer le réel dans le respect des personnes et même à leur bénéfice.

La place des femmes

Il y a une manière d'être au monde propre aux femmes que j'ai ignorée jusque tard dans ma vie. Jusqu'à vingt ans au moins, mes relations avec les femmes restent superficielles et somme toute assez lointaines. À cette époque, le monde est pour moi divisé en deux sphères, l'une, dominée par la figure de mon père, contient ce qui relève de la pensée, l'autre, qui est celle de ma mère, se limite au domaine des sentiments. Il est établi que ma mère puis ses belles-filles sont exclues du cercle exclusivement masculin composé de mon père et de ses trois fils unis et de leurs échanges arides, éthérés et souvent stériles. Imaginez des réunions familiales où les trois belles-filles discutent entre elles, les hommes ne leur adressent pas la parole et débattent entre eux de philosophie, d'histoire, de la nécessité du beau, du vrai et du juste. Si, par hasard, l'une des belles-filles tente de se mêler à leur conversation, le regard qui se porte sur elle dans l'instant est un subtil mélange de surprise et d'énervement. Reconnaissons-le, nos débats sont dénués de tout contact avec la réalité, et nous ne faisons rien pour solliciter leur participation. Machisme ? Sexisme ? Rien de conscient, mais le fait est là, peu d'espace intellectuel est accordé à nos femmes. Mon père, qui enseigne toute sa vie à des élèves dits du sexe fort, a un frère et trois fils, n'a jamais été indifférent au « beau sexe » mais le cantonne à une sphère particulière. Cette attitude a déteint sur mes frères et moi, nous avons eu du mal à nous en défaire.

Par chance, rien n'est figé. Bon an mal an, l'image de ma mère dans la configuration familiale change, qui lui confère une place plus juste. Jusque-là femme plutôt en retrait, elle se révèle tout autre, au point de se métamorphoser à nos propres yeux. Malgré son âge avancé, elle nous stupéfie par sa capacité d'analyse, sa combativité débordante, son indépendance d'esprit, son énergie, voire son aplomb. Le jour où, à quatre-vingt-sept ans, elle se présente aux élections municipales dans le bourg où elle s'est retirée, à Mussy-sur-Seine, elle nous bluffe ! Rien ne l'arrêtera plus. À un membre de la municipalité en place qui ironise sur la « kahn de vieillesse » dont elle aurait besoin, elle lance un défi, celui d'accepter un duel d'éloquence avec elle ! Peu de temps avant sa mort, elle nous a fait un merveilleux cadeau en nous déclarant : « Mes enfants, grâce à vous, ma vieillesse est tellement plus belle que ma jeunesse ! »

Je le confesse, l'idée d'une relation à égalité avec une femme est venue bien plus tard, la conscience de la richesse de l'être féminin m'apparaîtra en toute clarté dans le monde de la recherche.

Au départ, jeune chef de clinique, les femmes dans les laboratoires où je travaille sont des techniciennes, limitées à des rôles subalternes, ce qui ne remet pas en cause ma cosmogonie du genre. À l'hôpital, les hommes sont médecins, les femmes infirmières, les rôles sont établis une fois pour toutes, rien ne m'interpelle.

Au début de ma carrière de chercheur, mes yeux vont se dessiller grâce à des rencontres avec des femmes exceptionnelles. En 1976, je débute ma dernière année d'internat dans l'équipe de recherche de Jean-Claude Dreyfus. Les premiers travaux de celui-ci, menés en collaboration avec Georges Schapira et sa femme Fanny, portent sur le métabolisme du fer et les maladies musculaires, myopathies et atrophies neurogènes, avec deux découvertes de grande importance : l'élévation de l'activité d'enzymes glycolytiques musculaires dans le sérum des myopathes et de femmes porteuses, et la résurgence d'isoenzymes fœtales dans le muscle myopathe et les cellules cancéreuses.

Outre Fanny Schapira et Colette Dreyfus-Brissac, spécialiste de l'épilepsie, je découvre des femmes qui sont des « alter ego », puis des élèves auxquelles je voue une grande admiration. La dernière d'entre elles, femme brillantissime, est Sophie Vaulont, elle sera mon successeur à la tête de mon équipe de recherche. Tous deux, avec notre équipe nous démontrons que l'hepcidine est l'hormone de régulation du fer impliquée, par sa synthèse excessive aussi bien que par ses déficits, dans la quasi-totalité des maladies de l'homéostasie de ce métal. Avec elle et d'autres encore, je découvre à quel point le sexe dit « faible » est fort… À l'égard de ces femmes qui sont des chercheurs de premier ordre, je finis par ressentir à la fois de l'étonnement et, je l'ai dit, de l'admiration.

Comment ces femmes parviennent-elles à la fois à s'occuper de leurs enfants et à ne rien céder à leur ambition ? Je les vois agir et exercer leur métier avec une intensité bien supérieure, déployant une énergie et une efficacité à faire pâlir leurs collègues masculins. Passer d'une communication dans un congrès international au coup de fil à la crèche, d'une expérience capitale à un rendez-vous avec un proviseur pour leur enfant en difficulté, de l'organisation d'un voyage dans une université à l'étranger à la lecture sur le Net des résultats d'une équipe concurrente, ne les effraie pas. Les hommes, eux, focalisés sur leurs recherches ne savent pas jongler entre différentes occupations avec la même agilité. Pour autant, si leurs carrières sont les mêmes sur le plan scientifique, le plafond de verre existe, aucune femme ne m'a succédé à la tête de l'Institut Cochin.

L'amitié féminine a beaucoup compté dans ma vie, et compte toujours. Je la recherche sans cesse, la pratique et la recommande. C'est autant une manière de mieux connaître que de séduire. En revanche, j'éprouve le plus grand mal à avoir des hommes pour amis, faute de trouver un quelconque intérêt dans ce type de relation. Aussi paradoxal que cela paraisse, je n'ai gardé qu'un seul ami de mes vingt ans. Sinon, mon seul et véritable ami était mon frère Olivier, à la fois alter ego et rival en tout. Personne n'a pu le remplacer.

Les femmes ne sont pas encore sur un réel pied d'égalité avec les hommes dans nos sociétés. Voilà une injustice qu'il faut combattre. Après l'égalité des droits, la liberté des corps, la fin des discriminations professionnelles, la défense des femmes battues, la parité est l'ultime combat, la « nouvelle cause des femmes », pour laquelle il faut se battre. Pour ma part, j'ai rejoint le camp de Sylviane Agacinski, pour qui sans action volontaire, les femmes ne siégeront ni à l'Assemblée nationale ni dans les comités de direction des banques ou des compagnies d'assurances ou à la tête des hôpitaux et des instituts de recherche. La position d'Élisabeth Badinter qui refuse une loi sur la parité au nom de l'universalisme et du refus du communautarisme me paraît difficile à défendre. Quand j'étais directeur scientifique pour la biologie de Rhône-Poulenc, trente-trois personnes siégeaient au sommet de l'entreprise et c'étaient tous des hommes. Rien n'a beaucoup bougé. Introduire les femmes au plus haut niveau n'est pas seulement réparer une injustice, c'est aussi profitable pour la bonne marche des entreprises comme de la nation. Se priver de leur expérience, de leur sensibilité, de leur sens de l'analyse, me semble préjudiciable à une vie démocratique active et efficace. Comment ne pas être favorable à l'imposition par la loi de la parité hommes-femmes si on n'y parvient pas autrement ? Force est de constater que l'accroissement de la participation féminine à tous les niveaux de gouvernance reste lente et insuffisante. Seul remède, la loi ?

« N'empêche que ce sont nous, les femmes, qui donnons la vie. » Cette réflexion lancée comme un défi par Hélène, une autre chercheuse de talent de mon laboratoire, est restée gravée dans ma mémoire depuis des années. C'est vrai, elles seules le peuvent, c'est indéniable. Que reste-t-il à l'homme s'il n'est même plus essentiel pour la transmission de la vie ? Leur seule supériorité, si tant est que cela en fût une, c'est leur capacité, voire leur efficacité, à donner la mort, ce en quoi ils excellent, dans des guerres ou même parfois, hélas, dans leurs foyers.

Et l'amour ?

Quant à ma propre vie amoureuse, disons qu'elle n'a jamais été simple. Marié jeune et père de trois enfants, j'étais persuadé qu'un mariage avait d'autant plus de chances de durer qu'il reposait sur la tendresse et la raison en excluant la passion. Ce que nous voulions, ma femme et moi, c'était avoir des enfants ensemble, les partager, fonder une famille sereine et unie. La réalité nous a donné tort, nous nous sommes séparés après une longue vie commune.

Sans être un don Juan, j'ai multiplié les conquêtes pour le plaisir de la rencontre et l'intensité de la relation lorsqu'elle associe plaisir, tendresse et respect. Les disputes de mes parents avant qu'ils ne se séparent m'ont profondément marqué, et j'ai aspiré au calme et à la tranquillité, cherchant plutôt la stabilité dans mes relations amoureuses. Cela surprendra, je le confesse je suis « fleur bleue ». Dîner en tête à tête, visiter un musée, voyager, évoquer ensemble de « petits moments » me procurent plus de plaisir – ou au moins plus de souvenirs – que n'importe quel rapport sexuel ! Avec l'âge je développe une vraie esthétique de la quotidienneté La répétition des petites choses de la vie est en soi, à mon sens, un élément de satisfaction qui me procure un maximum de bien-être. Il y a une grandeur dans le fait d'accomplir les mêmes gestes au même endroit avec les mêmes personnes, lorsqu'on les aime.

Il y a longtemps, j'ai connu une grande passion pour une femme belle et brillante. Cette relation amoureuse était doublée d'une connivence intellectuelle que je n'ai jamais connue avec une autre. Notre rupture m'a conduit le temps d'une soirée au bord du suicide et m'a plongé dans une période de tristesse dont j'ai eu du mal à me débarrasser.

Pour en finir avec ma vie intime, et pour ne rien cacher, j'avoue que l'homosexualité ne m'attire pas, non que je la réprouve en quoi que ce soit. En revanche, je condamne la pédophilie dont j'ai été moi-même victime. C'est un souvenir désagréable que je n'ai jamais eu l'occasion d'évoquer. D'après mon entourage, j'étais joli garçon. Pensionnaire dans un collège catholique, j'ai subi les gestes « déplacés » de l'abbé G. et d'un chef scout. Ni l'un ni l'autre n'ont été poursuivis, ce qui est monnaie courante. Entendons-nous, la pédophilie, qui n'appelle aucun jugement moral de ma part en tant que fantasme et pulsion maîtrisée, m'horrifie lorsqu'elle est la domination et l'objectivation du corps de l'autre en situation de dépendance. C'est une contrainte exercée sur autrui, et l'inverse de la liberté puisqu'elle n'est pas une relation consentie. D'ailleurs, cette observation vaut aussi pour certaines relations entre adultes.

Ma pensée morale qui repose sur l'idée que le corps de chacun appartient plus à lui-même qu'à autrui ne peut l'accepter. Qu'une personne se masturbe en rêvant à de jeunes garçons ou à de jeunes filles me semble pour le moins bizarre, mais n'appelle aucune condamnation de ma part. En revanche, dès lors qu'elle passe à l'acte, en tentant de le réaliser « en chair et en os », tout change. L'usage qu'elle fait d'un autre corps n'est pas admissible. Autrement dit la liberté de l'usage de son propre corps n'induit pas la libre disposition de celui d'un autre. Dans cette situation, l'adulte se place dans la toute-puissance, l'enfant se trouve dans la dépendance. Ce qu'on doit chercher à éviter, c'est l'objectivation de l'autre, et bannir toute relation dépourvue de réciprocité, de respect de l'altérité et de considération de l'humanité.

L'humain

Pour en finir avec ce qui m'a fait ce que je suis aujourd'hui, tout repose sur l'héritage moral légué par mon père, qui a été à la fois le socle et le roc sur lesquels je me suis appuyé pour me construire. Rien ne m'a fait dévier de ce que mon père m'a transmis et m'a donné comme feuille de route. Ma pensée a très peu bougé, même si, chemin faisant, des rencontres m'ont enrichi, des événements m'ont bouleversé, des découvertes m'ont fait réagir. Loin de moi l'idée de ne m'être jamais fourvoyé. Au moins deux fois, je suis conscient de m'être trompé. Sur le plan politique, au départ des Américains de Phnom Penh (1976), à l'arrivée au pouvoir de Khomeiny (1979), j'ai manqué pour le moins de discernement. Sur le plan personnel, ne pas avoir vu la détresse de mon père avant son suicide et avoir sous-estimé ma mère sont deux de mes regrets les plus vifs. Par bonheur, à la fin de la vie de ma mère, je crois avoir su lui témoigner mon affection et mon admiration.

Quant à mon père, je me suis efforcé de répondre à son injonction d'accepter l'autre dans sa réalité et sa fragilité, et non en référence à une icône idéale, en réalité inhumaine. On est responsable de sa propre vie, mais aussi du monde qui se construit autour de vous, car celui-ci ne s'édifie pas indépendamment de la volonté humaine.

Mon choix est sans détour ; ce qui me guide au premier chef, c'est le souci de l'autre et l'obligation de le respecter. Mon interrogation porte sur les moyens à déployer pour atteindre ce but, cette quête qui donne à ma vie un sens moral. L'humain se définit par rapport au non-humain par la pensée de se sentir libre. De ce fait, même si la définition et l'authenticité de la liberté sont incertaines, le respect de cette aspiration à la liberté est inséparable de toute réflexion morale. En d'autres termes, l'une des caractéristiques d'*Homo sapiens* est sa capacité d'apprécier la qualité de son action, de s'en sentir responsable puisqu'il a le sentiment qu'elle résulte d'un choix libre. Si un décalage se produit entre l'action et l'exigence de la liberté de l'autre, un sentiment de honte ou de gêne doit naître chez un agent moral. En revanche, une action accomplie dans un sens conforme à ce qui convient, c'est-à-dire à la valeur intrinsèque de l'altérité, induira chez cet agent une impression de satisfaction.

La notion d'homme seul est une absurdité. C'est un être social sensible à l'empreinte mentale laissée par ses contacts avec autrui. L'homme ne peut profiter des potentialités cognitives que lui confèrent ses gènes que s'il est intégré à une société humaine engendrant sa culture propre. Sans les autres, l'individu ne peut pas devenir le sujet de sa propre vie. Affirmer que l'homme seul n'existe pas implique que certaines valeurs sont intangibles en tant qu'elles le fondent. L'émergence d'un être jouissant de ses capacités mentales, capable de penser l'unicité de son être, de ses idées, de ses projets et de ses actes, est possible à la condition impérative qu'une relation intersubjective mutuellement humanisante l'ait permise. En ce sens, il est juste de dire que la reconnaissance de la valeur de l'autre constitue un fondement ontologique de la personne, et donc de l'humanisme dont je me réclame : « J'ai besoin de l'autre pour être moi-même, et il a besoin de moi pour être lui. » Le respect de l'autre est une valeur absolue, et non relative.

Ce n'est que dans l'économie d'un dialogue argumenté entre des individus que nos déterminants biologiques nous donnent accès à nos capacités cognitives. Sans coédification cognitive, il n'y aurait pas d'humanité. L'enfant sauvage, livré à lui-même, isolé, élevé par les animaux, est incapable d'atteindre les capacités mentales caractéristiques de l'espèce humaine. Il a un génome humain, certes, mais il n'a pas été humanisé. Pour qu'un *Homo* génétiquement humanisable soit humanisé, il lui faut interagir avec au moins un autre. Si je ne peux accéder à la plénitude de mes capacités cognitives que dans ce dialogue avec cet autre qui m'est proche, ne suis-je pas amené à lui conférer une valeur singulière ? Cette évidence de la valeur conférée à celui grâce auquel je suis humain et me reconnais comme « moi » est sans doute la base ontologique de la morale altruiste. Dès lors, le choix qui me donne accès à une connotation moralement positive ou négative de mes actions prend un nouveau tour. Tout ce qui contribue à manifester le souci et la considération que j'ai pour un être singulier sans lequel je ne serais pas moi-même me semblera moralement positif. Ce qui lui nuit et compromettra mon interaction avec lui m'apparaîtra moralement négatif. Le sens moral germe sur le terreau du sentiment de liberté auquel donne accès l'évidence d'un choix.

Qu'est-ce qui fait le cœur de l'homme ? La réponse ne saurait se résumer à la biologie qui constitue néanmoins la condition permissive de l'imprégnation et du processus civilisationnel. Il n'existe pas de gènes de l'« humanitude » !

Bases morales universelles de l'éthique

Dans notre monde, si on tient à sauvegarder un tant soit peu le respect de la valeur humaine, et la défendre sous tous les climats et dans toutes les cultures, encore faut-il trouver un consensus sur la définition de quelques principes éthiques de base qu'on considérerait comme potentiellement universels. C'est là où le bât blesse. La plupart des penseurs estiment que les valeurs éthiques changent d'un lieu à l'autre, d'une époque à l'autre, d'une personne à l'autre, et se persuadent qu'elles sont le fruit de constructions intellectuelles, relatives à une société dans un temps donné. À l'exception de la morale religieuse, qui est liée à une révélation, la morale serait relative. Autrement dit elle ne vaudrait que pour une culture, une période, une société à un moment donné. « Vérité en deçà des Pyrénées, erreur au-delà », avait déjà dit Pascal. Il faudrait renoncer, au nom du relativisme, à trouver des valeurs universelles.

Militant pour une morale sans transcendance, je crois nécessaire la référence à des règles morales à vocation universelle, qui seules ont été capables de faire émerger l'homme de son animalité. Certes, le rapport à l'autre n'est pas immuable. Il est divers et le tour qu'il prend dépend de la culture, des circonstances, et des époques. L'histoire nous montre que certaines sociétés ont accepté ou acceptent ce que nous rejetons aujourd'hui avec horreur sur le plan éthique. Pour autant, je m'oppose à ceux qui plaident pour un relativisme des critères du Bien et du Mal. Il n'y aurait pas de valeurs absolues. Cette pseudo-évidence du relativisme moral me semble dangereuse. Si la morale n'était qu'une construction historique et sociale particulière, ce que l'on pensait hier devrait être aujourd'hui incompréhensible, ce qui n'est pas le cas. Comment expliquer que le récit de Gilgamesh qui remonte à plus de 4 200 ans, et dont la majeure partie des autres récits découle, y compris la Bible, nous semble si proche ?

Gilgamesh, qui règne sur la ville d'Uruk en Mésopotamie, est un athlète tyrannique et arrogant. Il exerce sans limites le droit de cuissage, passant la première nuit de noces avec les vierges qui se marient. Les dieux lui opposent son double sauvage, créé pour la circonstance et « humanisé » par des péripatéticiennes, Enkidu. Ce dernier défie Gilgamesh ; le combat est équilibré, les combattants finissent par se prendre d'amitié l'un pour l'autre. Ils partent à travers le monde pour accomplir mille exploits. Mais la démesure d'Enkidu irrite les dieux, qui le font mourir. Gilgamesh est inconsolable. Il repart en quête du savoir et de l'immortalité. Surmontant mille périls, il se fait remettre la plante de jouvence, que lui vole un serpent. Le roi d'Uruk acceptera alors ses limites, sa finitude, il achèvera d'être pleinement humain. Dans cette épopée, la tyrannie et le droit de cuissage sont mauvais, de même que la démesure : pour nous aussi. L'amitié, le courage, la fidélité et l'humilité sont bons : pour nous aussi.

Autre exemple : dans le code d'Hammourabi, roi de Babylone vers 1750 avant Jésus-Christ, il est écrit qu'il faut protéger la femme et l'enfant contre la misère, l'abandon, et les sévices... Rien n'a changé !

Il serait faux de dire que les références de base de notre morale n'existent pas dans le passé. Bien entendu, l'application de ces valeurs « ontologiques », consubstantielles au processus d'humanisation, aux réalités socioculturelles et aux possibilités techniques, induit une diversité des points de vue et l'évolutivité de ceux-ci. Pour autant, une référence commune de la pensée morale existe, elle autorise le débat éthique international.

Des normes émergent, tirées de notre héritage culturel, nouvellement établies, où à inventer en fonction d'un futur prévisible. Quand il nous faut agir, il n'est cependant pas question d'obéir automatiquement à un catalogue normatif de règles imposées. Notre rôle consiste à analyser la situation et à décider de la position qu'il convient d'adopter, en mesurant bien les conséquences de nos actes à l'aune de cette morale fondée sur le respect de la valeur de l'autre. Procéder de la sorte, c'est donner vie à notre conscience morale.

Le postulat, c'est de croire que l'homme est libre et qu'il n'est donc pas déterminé par une prédestination divine, pas plus qu'il n'est seulement conditionné par ses gènes ou par son environnement. Certes ces deux contraintes existent, mais l'homme peut largement s'en affranchir par l'exercice de sa liberté. Il s'agit là d'un credo, le seul revendiqué, celui de la liberté de l'homme, la foi en sa liberté. Cette foi importe d'ailleurs plus que le contenu et la réalité du mot, l'une des questions philosophiques les plus complexes qui soient. Cependant, l'homme ne peut se penser libre – et responsable – qu'à la condition de sa relation à autrui. Chacun est indispensable à l'autre. Seule la réciprocité est indispensable à l'émergence de l'humanité d'un être doté d'un génome humain. C'est elle qui peut conduire à la reconnaissance de ce qui est le Bien ou le Mal. Rappelons-le, le Bien se définit comme le souci de l'autre, le Mal étant l'ensemble de ce qu'on fait à son détriment. Au risque de me répéter, j'appelle Bien tout ce qui procède de la pensée, et des actions qui en découlent, ayant comme objectif de préserver l'humanité de l'autre en ce que je la reconnais équivalente à la mienne propre... Lorsque mon action prend en compte cette évidence et, par conséquent, préserve ce qui me semble essentiel dans l'humanité de l'autre, son autonomie, ses chances d'épanouissement, cette action est bonne. Ne le seront pas, à l'inverse, les entreprises, les actes se fixant pour objectif d'attenter à l'humanité d'autrui, de la nier, ou bien qui ne feront que témoigner d'une négligence envers le souci de l'autre, de ses conditions d'accès à la joie, au bonheur, d'une indifférence à son épanouissement autonome.

2

Dignité, autonomie et liberté

La dignité

Avançons dans notre réflexion. En tant que morale de l'action, l'éthique impose de décider ce qu'il convient de prendre en compte au nom d'un certain nombre de valeurs, dont le souci de l'autre. Quand bien même les progrès scientifiques semblent satisfaire nos désirs ou font émerger des thérapeutiques efficaces, le risque d'assujettir, de stigmatiser, ou d'instrumentaliser des hommes et des femmes n'en est pas moins pour autant réel. Les dérives risquent d'autant plus de se multiplier que les sommes d'argent en jeu sont colossales. Les pratiques liées à l'utilisation de nouvelles technologies de plus en plus performantes peuvent pour certaines se révéler problématiques sur un plan moral alors que d'autres contribueront à la préservation et à l'amélioration d'autrui. L'augmentation exponentielle des moyens d'action sur le vivant doit inciter à une réflexion de nature à identifier les risques encourus.

Reprenons la définition de la morale et de l'éthique. « Morale » dit en latin ce qu'« éthique » disait en grec. Aujourd'hui, éthique et morale ne sont plus strictement synonymes. La morale, science du Bien et du Mal, se réfère en général à des impératifs qui s'imposent à chacun. L'éthique a une dimension plus individuelle ; elle est la réflexion sur la « voie bonne » et sur les valeurs qui la fondent. Appliquée à un groupe, par exemple professionnel, elle débouche sur la « déontologie ». Cette dernière s'exprime sous forme de « codes » : le code de déontologie des avocats, des médecins ou des experts-comptables. Selon moi, la morale équivaut en un sens à une éthique universelle puisqu'elle a vocation à s'appliquer à tous. Militant d'une morale sans transcendance, j'en perçois l'origine dans les conditions mêmes de l'humanisation du primate *Homo sapiens*. L'éthique, à la recherche de la « voie bonne » face à des progrès scientifiques ou médicaux, est tenue de s'appuyer sur les valeurs morales, avant tout le respect de la qualité de l'autre. Il n'y a pas dichotomie entre la morale et l'éthique. En revanche, il est plus que jamais nécessaire de réfléchir aux principes qui fondent cette dernière.

Dès que surgit une nouvelle méthode de procréation médicalement assistée, de greffes d'organes, ou de thérapie génique, et qu'on s'interroge sur ce qu'est l'« action bonne » dans chacun de ces cas, on est amené à se demander si ces innovations appliquées à l'homme constituent une menace pour sa dignité.

Encore faut-il définir les bases de cette dignité et la raison pour laquelle elle serait mise à mal par de nouvelles techniques. Rien de plus complexe à définir que la notion de dignité. C'est une tâche considérable dans la mesure où ce mot est polysémique. Au sens littéral du terme, « *dignitas* » se réfère à un honneur conféré par un souverain ou un dépositaire de la puissance sous la forme d'une distinction ou d'une décoration. Le sens premier est par conséquent inégalitaire, et la dignité est liée à une fonction ou à un statut ; leur perte entraîne celle de la dignité. Pour la philosophie stoïcienne, un « comportement digne » correspond à une discipline personnelle : maîtrise de soi, courage, lucidité, acceptation de douleur, pudeur, discrétion, volonté de ne pas faire peser sur autrui son propre malheur, de ne pas troubler la tranquillité d'autrui. Si vous êtes croyant, l'homme ayant été créé à l'image de Dieu, la question de sa dignité supérieure ne se pose pas. Possédant seul une âme, cela suffit à lui conférer une dignité, et ainsi des droits qui lui sont propres.

L'utilisation moderne du mot de dignité se réfère plus ou moins à son acception kantienne, celle qui la voit en tant que caractéristique de l'humanité d'un être doté d'une dignité et dépourvu de prix, qui doit être toujours envisagé également en tant que fin et jamais uniquement comme un moyen, valeur universelle au respect de laquelle tendent les impératifs catégoriques. Quoique chez Kant la référence au créateur ne soit pas explicite, il apparaît d'évidents liens entre les conceptions kantienne et chrétienne de la dignité, donnée en soi de toute personne en tant qu'elle est humaine. Un point commun aux notions étymologiques, stoïcienne, chrétienne et kantienne de la dignité est qu'elles sont « déontologiques », elles impliquent de la part des personnes dignes de se conformer à des devoirs : assumer ceux de sa fonction, rester impassible dans l'adversité, se conformer à la parole de Dieu, ou respecter son propre corps comme on se doit de respecter celui d'autrui. En revanche, dans une conception matérialiste moniste et évolutionniste, le concept de dignité recèle une redoutable complexité. Pour aller droit au but, j'appelle dignité la qualité au nom de laquelle une communauté humaine se fixe le devoir de respecter les êtres, y compris ceux qui sont dans l'incapacité de réclamer leurs droits. La dignité conférée à un homme n'implique pas de devoir sauf celui de respecter la dignité d'autrui puisque, selon le principe de réciprocité, elle ne peut être distinguée de la sienne propre, les êtres ne peuvent être discriminés au plan de la dignité.

Qu'en est-il des vieillards ou des malades qui craignent de perdre leur dignité ? S'il en est ainsi, c'est avant tout parce qu'ils se sentent rejetés, parce qu'ils ne trouvent dans le regard d'autrui nul accueil, nulle compassion, nulle appétence, nul amour. Face à l'allongement de la durée de la vie et à l'augmentation des maladies neurologiques comme la maladie d'Alzheimer, ne doit-on pas se préparer à en tirer les conséquences, demandent certains ? Faut-il permettre à ces personnes de mourir dans la dignité en abrégeant cette ultime phase annoncée de la perte de l'entendement, de la mémoire et de la dégradation physique ? Chez ces personnes, dont les droits deviennent une notion relative puisqu'elles vivent presque toutes sous tutelle ou curatelle, une valeur demeure qui n'a rien de sacré mais qui est de l'ordre de la solidarité liée à une commune humanité. C'est cette valeur que recouvre le terme de dignité. Même affaiblis intellectuellement et physiquement, ils demeurent égaux en dignité aux autres citoyens. Personne n'ignore les conséquences économiques des soins nécessaires. Pour autant, il est scandaleux de déclarer que ces grands vieillards, dépendants, voire déments, ne sont plus pleinement humains sous prétexte qu'ils auraient perdu la pleine conscience de soi. Qui sommes-nous pour conclure qu'il faut abréger leur agonie ? On se souviendra que c'est ce genre de raisonnement que les nazis ont suivi dans la mise en œuvre de l'opération T4, du nom du quartier général situé au 4 Tiergartenstrasse, à Berlin : plusieurs dizaines de milliers de handicapés mentaux ont été éliminés entre mai 1939 et août 1941. Dès qu'une communauté humaine considère qu'un groupe d'individus ne présente plus aucune valeur, elle ouvre la porte à toutes les barbaries. Le raisonnement est simpliste. L'homme est un roseau pensant. Dès qu'il cesse de penser, son humanité disparaît, sa raison d'être aussi. Hitler entend éliminer ceux qu'il tient pour des « dégénérés », pratiquant une sorte d'hygiénisme radical à grande échelle. Soixante-dix mille victimes considérées comme des fardeaux ou des menaces pour le peuple allemand périront. L'opération T4 sera suspendue après la protestation publique des Églises.

Cette « hygiénisation » doit nous faire réfléchir et nous inciter à la plus grande vigilance. La seule attitude possible face à nos vieillards consiste à réaffirmer que tous les hommes naissent et demeurent libres et égaux en dignité et en droits, y compris ceux dont l'intelligence est dégradée et l'autonomie réduite. Leur dignité reste intacte, identique à celle qu'elle avait été auparavant. À nous de changer de regard.

Pour l'agnostique évolutionniste que je suis, la dignité n'est pas une valeur transcendante. C'est une idée construite par l'homme en société et la condition autant que la conséquence de son humanisation. C'est le fruit du respect réciproque qui compose la base ontologique de la pensée morale. Chacun est libre de son corps. Son utilisation pour modifier sa relation à autrui est aussi ancienne que l'humanité. Que doit dire une société, c'est-à-dire une morale commune, de la légitimité de pratiques individuelles concernant le corps ? On connaît des sociétés plus ou moins répressives, ou au contraire permissives. Si chacun est maître de son corps, la prostitution ou la chirurgie du transsexualisme sont-elles des situations où s'exprime une autonomie réelle ? L'usage de son corps de telle ou telle façon se fait-il dans le respect de la sensibilité d'autrui ? Le port de la minijupe ou le topless sur les plages ont défrayé la chronique des années durant. Certaines revendications identitaires, si elles reflètent en effet l'autonomie des membres d'un groupe, peuvent cependant être vues comme des agressions pour les autres ; et alors quelles sont les limites entre le respect de la liberté individuelle et celui de la sensibilité d'autrui ?

Dignité et liberté

C'est ici qu'apparaît la limite de la notion de « respect de l'autonomie ». Si l'on suit la logique de mon propos, en effet, chacun pourrait apparaître comme parfaitement libre d'agir sur lui-même tel qu'il l'entend, dès lors qu'il ne se comporte pas envers autrui de façon incompatible avec le principe de réciprocité. Ainsi le nain peut déclarer qu'il veut être lancé, un individu affirmer qu'il veut se livrer à pornographie, etc. Reprenons la décision du Conseil d'État du 27 octobre 1995 concernant le lancer de nain. Le maire de la commune de Morsang-sur-Orge avait interdit des spectacles de « lancer de nains » qui devaient se dérouler dans des discothèques de cette ville. Il s'était fondé non sur les pouvoirs de police spéciale qu'il tenait de l'ordonnance du 13 octobre 1945 relative aux spectacles, mais sur les pouvoirs de police générale que lui confiaient les dispositions de l'article L. 131-2 du code des communes. Ces dispositions sont généralement entendues, lorsqu'elles sont appliquées à des spectacles, comme visant à garantir la sécurité du public ou à prévenir d'éventuels troubles matériels à l'ordre public. Toutefois, en l'espèce, le maire avait interdit ces spectacles non pour des considérations de cette nature mais en estimant qu'ils portaient atteinte au respect de la dignité de la personne humaine.

Par l'arrêt *Commune de Morsang-sur-Orge* 1995, le Conseil d'État a considéré que le respect de la dignité de la personne humaine devait être regardé comme une composante de l'ordre public.

La sauvegarde de la dignité de la personne humaine contre toute forme d'asservissement ou de dégradation avait déjà été élevée au rang de principe à valeur constitutionnelle par le Conseil constitutionnel (Décision n° 94-343/344 DC, 27 juillet 1994, p. 100). Elle était aussi visée par les stipulations de l'article 3 de la Convention européenne de sauvegarde des droits de l'homme et des libertés fondamentales du 4 novembre 1950, qui interdit les « peines ou traitements inhumains ou dégradants ». Le Conseil d'État a donc jugé que le respect de la personne humaine était une composante de l'ordre public et que l'autorité investie du pouvoir de police municipale pouvait, même en l'absence de circonstances locales particulières, interdire une attraction qui y portait atteinte.

En reconnaissant aux autorités de police municipale le pouvoir d'interdire des spectacles susceptibles de troubler les consciences parce qu'ils portent atteinte à la dignité de la personne humaine, le Conseil d'État a montré que l'ordre public ne pouvait se définir comme purement « matériel et extérieur » mais recouvrait une conception de l'homme que les pouvoirs publics doivent faire respecter. Il n'a toutefois pas consacré la moralité publique comme une composante de la notion d'ordre public, se gardant ainsi d'interpréter trop largement les pouvoirs de police de l'autorité administrative.

Aux yeux de certains, c'est la preuve que la référence croissante des juridictions à la dignité serait liberticide et s'opposerait à l'autonomie de l'homme. En renfort de cette thèse, ses partisans donnent comme autre exemple le cas de l'affiche Benetton. La première chambre de la cour d'appel de Paris avait rendu le 28 mai 1996 un arrêt dit « Benetton » relatif à une campagne publicitaire portant atteinte à la dignité humaine. En l'espèce la société Benetton avait diffusé par affiches et dans la presse, lors d'une campagne publicitaire en automne 1993, trois séries d'images du photographe Oliviero Toscani, représentant un fessier, un bas-ventre et un torse humain marqués du tatouage « HIV positive ».

Le 22 avril 2009, le juge des référés du tribunal de grande instance de Paris a interdit l'exposition « *Our body*, à corps ouvert », au motif qu'elle présente « une atteinte illicite au corps humain », après la plainte déposée par Ensemble contre la peine de mort et Solidarité Chine. Le jugement précise que cette exposition portait atteinte à la dignité humaine : « La détention privée de cadavre est illicite », « Les cadavres et leurs démembrements ont d'abord vocation à être inhumés ou incinérés, ou placés dans des collections scientifiques de personnes morales de droit public », ou encore « L'espace assigné par la loi au cadavre est le cimetière ». Le juge affirme également que « la commercialisation des corps par leur exposition porte une atteinte manifeste au respect qui leur est dû ». Surtout : « La visée pédagogique [...] ne peut absoudre une illégalité manifeste. »

Les trois décisions de justice que je viens de rappeler reposent toutes trois sur l'interprétation du terme de dignité à la frontière entre son acception déontologique christiano-kantienne et sa dimension individualiste en limitant l'effectivité au respect d'autrui. Elles sont emblématiques de vifs débats qui traversent aujourd'hui la communauté des philosophes, des juristes et des éthiciens à ce propos.

De fait, dans les trois cas, l'argumentation d'une interprétation normative illégitime de la dignité peut s'entendre. Le « nain lancé » était en réalité le propre producteur de ce spectacle qui constituait son seul gagne-pain. N'est-il pas discriminatoire envers lui de lui interdire de gagner ainsi sa vie alors que les personnes de taille normale peuvent sans difficulté, dans les cirques, jouer les hommes-boulets ou être projetés entre groupes d'acrobates ou de trapézistes par des moyens divers ? Dans le cas de Benetton, n'est-ce pas l'image de la nudité qui est en fait sanctionnée, au nom des bonnes mœurs, plutôt que la discrimination envers les personnes atteintes du sida ? Après tout, des « pin's » reliés à la séropositivité sont portés par des dizaines de millions d'individus vêtus dans le monde ? Quant à l'interdiction de l'exposition de corps « plastinés », n'est-elle pas contradictoire avec la vente de livres et d'ouvrages de planches d'anatomie, voire avec l'exposition dans nos musées de tableaux d'écorchés, de scènes de dissection dont on sait qu'elles reposaient parfois sur l'utilisation de corps suppliciés ?

Haro par conséquent sur la dignité vue comme une menace envers l'idée libérale d'autonomie. La cible de cette opposition est la dignité conçue comme une norme impérative, contraignante, hétéronome. Du fait de l'équivocité de ce mot, on la rejette comme étant une norme opposable à l'autonomie, ce qu'elle n'est en rien. L'application de ce concept ne doit pas s'opposer à l'expression autonome de la volonté d'un être dès lors qu'il ne met pas en danger la liberté d'autrui. Personne n'est plus libre de son corps que soi-même, j'en conviens sans peine. Aucune autorité extérieure ne peut prétendre me remplacer dans l'appréciation de la dignité de mes conduites, dès lors que mon autonomie est raisonnablement assurée et que je respecte la valeur d'autrui.

L'emploi du vocable « dignité » est au total compliqué, puisqu'il entretient une confusion entre le concept lui-même et la dérive qui découle de son mauvais usage. Les dérives d'une pratique ne suffisent cependant pas à disqualifier les principes sur lesquels elle est censée s'appuyer. Déplorer que l'amour se vende, et qu'en son nom on réduit en esclavage ou qu'on tue, ne nous oblige pas à supprimer le mot de notre langage !

Sur les frontispices de nos édifices publics, on lit « Liberté, Égalité, Fraternité », alors que vivent dans nos républiques des citoyens dont les revenus équivalent à ceux de plus de cent autres, que la fraternité dans les relations humaines ne crève pas les yeux et que pour tous ceux qui n'ont aucun moyen d'en jouir, la glorification de la liberté pose problème. Faut-il alors effacer cette fière devise ?

En réalité, la suppression de la référence à la dignité réelle recèle bien plus de dangers que son usage abusif, et d'abord celui de mettre en péril les droits de tous ceux qui n'ont nul moyen de les revendiquer et de les défendre, droits qui sont des devoirs que se reconnaissent envers eux les agents moraux et rationnels que nous sommes. En d'autres termes, le devoir de la société envers les nouveau-nés abandonnés, les grands vieillards esseulés, les malades isolés, est-il une simple convention dépourvue de tout fondement, ou repose-t-il sur une qualité particulière liée à la commune humanité de tous ces êtres ? Une personne sans dignité est un homme sans qualité – pour reprendre le titre du roman de Robert Musil –, un être dont les droits sont enracinés dans du vent. La dignité induit la solidarité : si l'on admet que « tous les hommes naissent et demeurent égaux en dignité et en droit », considérer que l'autre a la même qualité que soi implique le souci de l'autre, dans quelque situation qu'il se trouve. La dignité n'est pas opposable à l'autonomie, elle n'a pas de source hétéronome, elle interdit en revanche que quiconque soit discriminé en raison d'un doute sur sa dignité.

Euthanasie

Prononcer le mot euthanasie, c'est déclencher des débats sans fin. Voilà un sujet qui passionne, déchire, et fâche ! Pourquoi le thème de l'euthanasie donne-t-il lieu à une telle émotion publique et de nouvelles demandes de légiférer, comme si le sujet avait été laissé en friche, appelant des décisions urgentes ?

Pensons à ces tsunamis médiatiques qui déferlent à jets réguliers dans les journaux télévisés ou font la une de nos quotidiens. Ces emballements de l'opinion publique brouillent les termes du débat. Ces cas dramatiques (l'affaire Vincent Humbert, ce jeune homme devenu tétraplégique après un accident de voiture ou Chantal Sébire, atteinte d'une tumeur rétro-orbitaire rare et très douloureuse) ne doivent pas nous empêcher de prendre la voie de la réflexion.

Entendons-nous sur les mots. Qu'est-ce que l'euthanasie ? C'est la « bonne mort ». Ce terme qui vient du grec *eu,* bon, et *thanatos,* mort, est utilisé pour la première fois par Francis Bacon, dans un de ses écrits en 1605, où il reproche aux médecins de s'intéresser davantage à l'aspect curatif des traitements et de négliger le soulagement de la douleur et l'accompagnement du mourant. Pour lui, l'euthanasie devrait utiliser les ressources de la médecine mais aussi songer à une préparation de l'âme.

Par ma connaissance de la médecine hospitalière, par ma fréquentation professionnelle des personnes et des familles frappées par des drames affreux, ma position est tout sauf une posture. Trop nourri d'expériences personnelles et souvent douloureuses (dont le suicide de mon père), je n'ignore pas à quel point ce qui touche à la mort est passionnel.

Mon vœu le plus cher, c'est d'échapper à cette opposition primaire entre deux positions irréconciliables. C'est un débat émotionnel entre des camps retranchés. D'un côté, il y aurait l'ultime liberté de mourir dans la dignité et de l'autre le caractère sacré de la vie à tout prix, quelles qu'en soient les conditions. Brisons les termes manichéens de ce débat insoluble.

Présenter le droit de mourir comme l'ultime liberté, c'est faire fausse route. Mourir est normal, donner la mort l'est moins, et se donner la mort encore moins. Les partisans du suicide assisté revendiquent haut et fort l'« ultime liberté » qu'a chacun de conduire son existence. D'être maître de soi – comme le prêchent les stoïciens – jusqu'à sa mort. Donc d'avoir droit au suicide, fût-il assisté. Certes, le patient dispose apparemment de son libre arbitre en réclamant la mort. Mais cette demande émane presque toujours d'une personne pour qui la vie est devenue insupportable et qui estime qu'elle n'a d'autre choix que de l'interrompre. Dit-elle toujours vrai ? Dans l'immense majorité des cas, les gens qui se suicident ne perçoivent pas qu'ils pourraient faire autre chose. Songeant à mon père, je ne cesse de me demander si, rencontrant une connaissance ou un membre de sa famille juste avant son geste, il n'aurait pas jeté un autre regard sur ce qu'il « pensait » être une impasse.

Où est la liberté quand on est le jouet de douleurs tyranniques ? Les conditions dans lesquelles on est amené à demander l'euthanasie ou le suicide assisté ne sont quasiment jamais des conditions de liberté. Il est indispensable avant toute chose de « restaurer la possibilité d'un vrai choix ».

Est-il libre le sujet en proie à un syndrome dépressif sévère qui tente de se suicider, voire qui demande à bénéficier de l'euthanasie, comme le cas s'en est présenté aux Pays-Bas ? L'exemple de la Grande-Bretagne, berceau des soins palliatifs, où le nombre de bénévoles engagés dans l'accompagnement est très important, montre bien à quel point la demande d'euthanasie devient très faible lorsque la lutte contre la souffrance et l'accompagnement sont mis en pratique. Une étude contrôlée a été menée sur ce thème aux États-Unis ; elle confirme complètement la notion selon laquelle l'immense majorité des demandes d'euthanasie disparaît lorsqu'un effort important est fait dans le domaine des soins palliatifs.

Jusqu'à mon dernier souffle, je refuserai l'association faite entre l'euthanasie et la « mort digne ». Veut-on nous signifier que l'on pourrait, à l'inverse, « mourir indigne » ? Une personne peut elle-même douter de sa dignité jusqu'à vouloir mourir. La société ne doit pour autant pas renvoyer cette image, ni introduire cette idée dans la loi. C'est le résultat de l'intériorisation par notre société de l'idée que ce qu'il convient de faire quand une personne n'est plus jeune ni active, ni productive, ni consommatrice, c'est de mourir. Une fois de plus, la dignité est un mot redoutable, trop souvent employé à tort et à travers.

Le droit de vivre dans la dignité sollicite davantage nos responsabilités humaines et sociales que consentir à octroyer la mort au nom d'une conception pour le moins restrictive de l'idée de dignité.

Il y aurait donc des gens qui meurent dans l'indignité ? Et lesquels : les grands vieillards ? les gens souffrant d'Alzheimer ? ou de démence ? Outre que la dignité n'est pas quantifiable, on peut se demander si cette requête ne viendrait pas de gens qui craignent de devenir indignes, quand c'est la société qui leur renvoie, bien souvent, cette image-là. Cette revendication pourrait bien être induite par une société foncièrement matérielle, tentée de conclure à l'inutilité économique des hommes et des femmes âgés. C'est le raisonnement que fit, en 1940-1941, le régime nazi, qui passa à l'acte en ce qui concerne les débiles et les déments.

Il faut une fois pour toutes tordre le cou à cette idée selon laquelle le suicide, la demande d'euthanasie, seraient une liberté. Cette « ultime liberté » doit rester à la fois une liberté individuelle et un interdit collectif. Une certaine idée de la civilisation n'est-elle pas en jeu, quand il est question de promouvoir la dignité humaine et le dialogue jusqu'au dernier souffle ? Le plus urgent aujourd'hui, c'est d'introduire de « bonnes pratiques » de fin de vie partout où l'on meurt, dans les services de réanimation, aux urgences, dans les services de cancérologie ou de gériatrie. Il convient en fait de préserver les conditions mêmes d'une réflexion, voire d'une méditation personnelle intime, qui n'exonère pas cependant de l'obligation de choix politiques effectivement respectueux, en pratique, des personnes dans leurs valeurs, attachements et droits.

Ne passons pas sous silence les « mauvaises pratiques » qui amènent à envoyer *ad patres* un malade dont l'agonie a commencé. Faire de la place dans son service ou mettre un terme au scandale que constitue l'échec de la guérison aux yeux d'une médecine triomphante sont deux ressorts fréquents, plus ou moins conscients, de telles pratiques sans conteste inadmissibles.

Il faut selon moi se méfier comme de la peste d'une loi qui énumérerait les exceptions nouvelles à l'interdiction d'homicide. Quant à la loi Leonetti, votée en 2005, qui proscrit toute obstination déraisonnable, elle remplit son office : soulagement des souffrances, abandon de l'acharnement thérapeutique, organisation des soins palliatifs. On est obligé de reconnaître que la diffusion de la prise en charge de la douleur reste sans doute insuffisante dans la pratique, de même que les lits de soins palliatifs sont trop peu nombreux et l'approche palliative en général encore mal assimilée. C'est aux politiques de tenir leurs promesses.

Il arrive aussi de trouver des cas pour lesquels le dispositif d'ensemble prévu par la loi reste inadapté. Pour autant, la loi n'a pas besoin de prévoir de nouvelles exceptions à l'interdiction de tuer son prochain, il lui suffit de se montrer humaine et compréhensive devant des situations personnelles dramatiques, qui apparaissent sans issue sur le plan médical. Que des procès aient lieu vaut mieux qu'une loi couvrant de manière anticipée toute personne qui se prévaudrait d'une « exception d'euthanasie ». Entre endormir un patient jusqu'à la fin et lui injecter un produit létal, le geste diffère. Le geste du médecin n'a pas pour but d'interrompre la vie, il doit soulager.

Donner la mort reste une transgression. La prise en compte de ces situations exceptionnelles doit amener la justice à trouver les moyens du pardon au terme d'une procédure particulière. Le ministère public a déjà su faire preuve de sagesse en interrompant les poursuites, comme dans l'affaire Humbert. Toute exception ne justifie cependant pas d'être acceptée en tant que principe.

Quant à ma propre mort – je ne puis exclure de façon définitive d'être amené à vouloir en finir avec la vie si j'en venais à perdre mes fonctions intellectuelles –, je ne demanderai pas alors à la société de m'aider ou de cautionner mon choix, ni à la loi de prendre la responsabilité d'une telle décision.

La sexualité

Dans la question du rapport à autrui, la sexualité occupe une place de choix. Il est évident que la société n'a pas son mot à dire sur les pratiques sexuelles bénévoles ou professionnelles de ses citoyens. Pour autant, il est impensable de faire l'économie d'une réflexion sur l'autonomie des individus considérée de ce point de vue. Avant tout, faut-il le rappeler, le choix des pratiques sexuelles librement consenties entre adultes conscients doit être respecté et échapper à toute appréciation d'ordre moral. En d'autres termes, l'homosexualité, l'hétérosexualité, ou toutes les formes d'ébats ne regardent pas la société, à condition que les personnes concernées ne soient pas « sous influence ».

On a l'habitude de dire que les mœurs dépendent de l'époque, varient d'un pays à l'autre, changent d'un citoyen à l'autre. Ce constat entraîne une sorte de relativisme moral qui fait florès de nos jours et dont rien ne sort. Rien ne pourrait être interdit, tout serait permis du fait de l'impossibilité d'établir des valeurs sur lesquelles on s'accorderait, celles-ci seraient trop changeantes. Il existe pourtant une voie, celle qui se fonde sur le principe de la réciprocité, considérant que l'essentiel, c'est de respecter l'autre. Opter pour un comportement, décider d'une action suppose au préalable une simple interrogation. En quoi ce type de comportement ou ce mode d'action constitue-t-il ou non une agression pour mon partenaire, mon voisin, mon collègue, mon patron, mon ami, ou toute autre personne ? Quel serait l'effet obtenu si un individu se rendait en monokini à l'église, à la mosquée ou au temple ? Alors que sur une plage réservée aux adeptes du naturisme, une femme aux seins nus sans même le bas n'agresse bien sûr personne ! En France, porter une minijupe dans les années 1960 était synonyme de provocation, plus personne ou presque n'y prête attention aujourd'hui.

Cependant, l'irruption dans mon bureau d'une personne dans le plus simple appareil, voire simplement sa déambulation dans la rue, ne peut être appréciée seulement en tant que manifestation légitime de son autonomie, même si cette dernière est réelle, qu'il s'agisse d'une fantaisie et non d'un symptôme de maladie psychiatrique. Les hommes et les femmes influent les uns sur les autres, ils ne sont pas des « zombis » indifférents à tout ce qui les entoure, choses et gens. Il s'ensuit que la frontière entre la liberté – qui doit être respectée – et le moment à partir duquel elle peut nuire à celle d'autrui est, en matière d'expression publique de sa sexualité, délicate à saisir et sans aucun doute relative à une époque et à une culture. Lorsque, avec le réchauffement climatique, s'il se confirme, le climat sera devenu torride sous nos latitudes, la mode sera peut-être un jour d'en revenir à la nudité des premiers âges de l'humanité, avec ou sans cache-sexe. La tenue d'Ève ne provoquera alors plus personne, elle aura même cessé d'être une fantaisie. En attendant, la question est délicate, et il fait peu de doute que les personnes réelles, mélange de raison et de pulsions, peuvent ressentir certaines formes d'exhibitionnisme comme d'intolérables agressions.

C'est pourquoi ce dernier est puni par la loi du 17 juin 1998 « relative à la prévention et à la répression des infractions sexuelles ainsi qu'à la protection des mineurs ». Cette loi prévoit la possibilité pour les auteurs d'infractions sexuelles, d'être astreints, après leur incarcération, à un suivi sociojudiciaire pouvant être assorti d'une injonction de soins, destinée à prévenir la récidive. Montrer ses organes génitaux à des personnes étrangères ou dans un lieu public, souvent pour en éprouver, au moins de façon passagère, de l'excitation sexuelle est une maladie. Rien à voir avec le strip-tease ou le nudisme, il y a chez l'exhibitionniste un comportement pathologique et l'envie irrésistible de choquer, en particulier des enfants ou des adolescents, pour parvenir à un état d'excitation sexuelle. Seuls les comportements sexuels présentant le caractère d'une exhibition imposée à des tiers tombent sous le coup de la loi pénale.

Venons-en à la pédophilie, défendue par les tenants d'une liberté totale : elle est, à mes yeux, condamnable parce que cette relation entre un adulte et un mineur n'est ni équilibrée ni consentante. Même s'il y a réciprocité du plaisir dans une telle relation amoureuse, ce qui est plus que douteux, le consentement est forcé, l'emprise réelle : la domination par l'âge, par l'expérience, par l'argent, qui débouche sur un véritable déséquilibre ne sera jamais acceptable. Comment garantir l'autonomie d'un enfant lorsqu'il est soumis à la seule volonté d'un adulte ? Le respect de la dignité commande de ne jamais instrumentaliser la personne humaine, ce qui conduit à récuser tout ce qui est pratique sexuelle sur un enfant ou sur un adulte sous influence.

L'autre dimension à prendre en compte dans les relations sexuelles, c'est celle de la « liberté de changer d'avis » ! L'exemple des pratiques sadomasochistes entre adultes consentants l'illustre. Leurs adeptes tirent une grande jouissance de la souffrance qu'elles provoquent. Les adultes consentants sont libres de s'y adonner, sauf si leurs jeux aboutissent à une mutilation. La disqualification de ce type d'ébats vient du caractère irréversible des séquelles liées à de telles pratiques. Or, si la personne accepte cet acte dans un premier temps, elle peut le regretter par la suite. La liberté est toujours celle de changer d'avis et… de plaisir. Il est clair que toute mutilation est irréversible et porte atteinte à l'intégrité d'une personne.

À puiser dans la littérature, sans détour, je choisis Casanova contre Sade, le séducteur vénitien contre le divin marquis. Le premier se donne pour but de procurer du plaisir, quand Sade soutient qu'il n'y a pas de plaisir qui s'arrête au souci de l'autre.

À la base d'une relation physique, il y a une double responsabilité, celle de soi et celle de l'autre. Sincérité, réciprocité et souci de l'autre sont les mots clés d'une relation sexuelle morale.

Exhibitionnisme négatif, burqa et niqab

Je viens d'aborder les questions de l'exhibitionnisme, de l'instrumentalisation du partenaire, de sa dégradation, de relations sadomasochistes. Quels rapports avec le débat sur le port de la burqa et du niqab par les femmes musulmanes et son éventuelle interdiction dans la sphère publique dans un pays laïque comme le nôtre ?

Sans doute plus qu'il n'y paraît, car il y a exhibitionnisme et provocation à trop montrer mais aussi à trop cacher. Imposer à sa partenaire sous influence de n'être vue qu'enveloppée d'un linceul m'apparaît sadique. L'éventuelle revendication de ces tenues par la femme elle-même s'apparente au masochisme.

D'aucuns avancent l'idée qu'il ne serait pas cohérent, au nom de l'autonomie, d'empêcher une femme de porter la burqa ou le niqab si elle le revendique. Bien entendu, il est impossible de prouver qu'elle le désire et qu'elle n'est pas placée sous la contrainte, par exemple de son mari ou de son frère. Cependant, c'est hélas une analyse que l'on peut faire de toute pratique religieuse ou culturelle, voire politique, qui porte plus l'empreinte de la société et du milieu qu'elle ne manifeste le moi profond de chaque être, maître vigilant de ses pensées et de ses actions.

Selon le courant relativiste, la société occidentale devrait s'interdire de porter de jugement. Nous devrions laisser faire et ne pas nous en mêler : ces femmes qui portent la burqa n'ont pas les mêmes mœurs que les nôtres, elles en éprouvent la nécessité. Cependant, c'est ce même relativisme qui incite à s'accommoder des mutilations sexuelles rituelles des filles, de leur éviction parfois de l'école et des soins.

Si on rappelle la règle d'or de la pensée morale, à savoir la notion de réciprocité, ici entre le masculin et le féminin, rien ne justifie d'accepter une quelconque disparité envers l'un ou l'autre sexe. Rappelons que la burqa est le symbole d'oppression de la femme, son port a été rendu obligatoire sous le régime des talibans en Afghanistan, et le signe de la domination de l'homme sur la femme.

Ses partisans en font la protection des femmes, un moyen de les soustraire au désir des hommes. Dans notre république, le port de ce vêtement remet en cause le respect de l'égalité homme-femme et de leur intégrité physique. Pourquoi les hommes ne la porteraient-ils pas ? Cela équivaut à nier le monde tel qu'il est. Hommes et femmes sont des sujets qui vivent ensemble, ont des activités communes, travaillent et partagent l'espace social. Leur existence ne se réduit pas à leur vie sexuelle. En réalité, la burqa traduit une sorte d'immense frustration masculine qui conduit au harcèlement ou aux violences sexuelles. C'est le symptôme d'une pathologie sociale et religieuse édictée au détriment des femmes.

Certes, rétorqueront les adversaires d'une législation sur le port de la burqa, « vous avez raison, cette contrainte vestimentaire est oppressive pour les femmes, nous la condamnons. Pour autant, nous condamnons aussi le port du voile et de la cornette, or les religieuses les arboraient il y a encore peu de temps. Nous sommes opposés à la bure des moines, qui manifeste selon nous une aliénation qui nous choque, mais ne voulons pas les empêcher de sortir, le cas échéant de leurs monastères. De même, nous redoutons d'aggraver encore le sort des femmes en burqa en leur interdisant l'espace public ».

Pourtant, l'analogie avec la nudité dans l'espace public et l'exhibitionnisme peut indiquer une issue à ce difficile débat. D'abord parce que les femmes en burqa peuvent être vues pour notre société comme bien plus provocantes que des jeunes filles aux seins nus : les secondes ne font qu'émoustiller les sens des messieurs, qu'éprouver la maîtrise qu'ils ont d'eux-mêmes ; les premières combinent un symbole sexuel négatif et un prosélytisme violent en faveur d'une idéologie qui nie la réelle égalité entre les hommes et le femmes, cantonnant ces dernières dans le rôle d'objet du péché dont il importe de préserver des hommes. Ces derniers sont bien entendu sinon purs et incapables de créer le désir chez quiconque, ce qui leur donne le droit de domination et de possession de cette sous-humanité impure par laquelle il faut hélas passer pour faire des enfants. Nous n'accepterions pas que se manifestent des hommes-sandwichs dont les panneaux proclameraient et illustreraient que telle ou telle partie de l'humanité est composée d'un ramassis de pourceaux. C'est pourtant à peu près ce que suggère la burqa. En ce sens, l'exhibitionnisme stigmatisant un peu plus de la moitié de l'humanité peut être vu comme une provocation qui mérite d'être interdite.

La prostitution

La prostitution est l'une des plus anciennes activités humaines ; elle est une réalité de masse et reste l'objet de discussions passionnées. Avant d'entrer à mon tour dans ce débat, je rappellerai un postulat de base : la sexualité de personnes adultes et consentantes n'appelle de la part de la société aucun jugement moral normatif, même si les pratiques deviennent l'objet d'un commerce. Cela n'empêche bien entendu pas de manifester des opinions personnelles à ce propos, et je serais un père affligé si mes enfants se livraient à cette activité. La principale interrogation réside en l'authenticité du consentement. La personne prostituée a-t-elle en effet choisi de gagner ainsi sa vie, privilégiant cette solution à d'autres qui lui étaient ouvertes ? De fait, pour une partie non négligeable de l'opinion, la prostitution est un choix, préféré à toute autre activité, pour des raisons de goût ou d'opportunité. Un moyen comme un autre de gagner de l'argent qui ne regarde personne d'autre que la femme qui s'y adonne.

Dénier à la prostituée, majeure et consentante, toute capacité de jugement pour apprécier par elle-même ce qui est ou non à la hauteur de sa propre dignité reviendrait à douter de sa maturité et de sa conscience, et donc à contester sa qualité de personne autonome, avec la dignité qui s'y attache. Ce raisonnement est tout théorique et en fait déconnecté de la réalité. Qui peut prétendre qu'une prostituée a choisi en toute liberté de vendre son corps ? En dehors d'une infime minorité qui choisirait en toute conscience de se prostituer, force est de constater que la quasi-totalité de celles ou de ceux qui le font sont les esclaves des temps modernes, soumis à la plus violente des oppressions. Voir des milliers de jeunes femmes ghanéennes, kosovars, ou roumaines arpenter les trottoirs des villes d'Europe, privées de leur identité, battues, vivant dans des conditions d'hygiène épouvantables, devrait suffire à prouver qu'elles exercent ce métier sous la contrainte. Il n'y a, dans l'immense majorité des cas, aucun libre choix à se prostituer.

Le corps utilisé en tant qu'objet sexuel n'est pas un outil de travail comme un autre, surtout quand on connaît l'effroyable oppression qui s'abat sur les femmes ou les hommes qui font commerce de leurs charmes – ce sont les femmes qui sont de loin les plus concernées. Utiliser ce type de raisonnement revient à justifier le calvaire qu'elles vivent et déconsidérer les efforts qu'elles font pour s'en sortir. Soumises à leurs souteneurs, et à leurs clients, elles sont bel et bien des victimes. Qui punir alors? Pour les uns, il s'agit du client, qui exploite la détresse économique de la prostituée et l'asservit à la satisfaction unilatérale de son désir. Pour d'autres, c'est la prostitution elle-même qui doit être réprimée. La poursuite des personnes prostituées n'a pourtant pas de justification. Elles sont soit des victimes et méritent la solidarité, pas la répression ; soit des professionnelles libres et indépendantes dégradant par leur commerce une commune humanité dont elles ne sont pas propriétaires, et l'on en revient à une utilisation normative hétéronome de la notion de dignité que j'ai eu l'occasion de critiquer.

Lutter contre la prostitution, c'est empêcher le trafic des êtres humains, écouter et soutenir les femmes plongées dans cet univers, et traquer les trafiquants et souteneurs, ne pas les considérer comme d'honnêtes commerçants. On ne se débarrassera jamais de la prostitution, ce plus vieux métier du monde, pas plus que du crime et du viol. Ce n'est pas une raison pour les légaliser et les organiser.

La transsexualité

Rappelons d'abord de quoi nous parlons quand nous évoquons la transsexualité. La détermination sexuelle dépend de quatre facteurs, normalement en harmonie : les chromosomes, les hormones, les récepteurs hormonaux et la psychologie de l'individu. Pour les premiers, tout dépend de ce qui s'est passé lors de la fécondation. L'ovocyte a été fécondé par un spermatozoïde porteur soit d'un chromosome Y, ce qui donnera un garçon, soit porteur d'un X, ce qui donnera une fille. D'autres gènes, ensuite (avant tout SrY sur le chromosome Y), piloteront la différenciation des gonades primitives en testicule ou en ovaire. Les gonades ainsi différenciées sécréteront les hormones sexuelles, testostérone pour le testicule et œstrogènes pour l'ovaire. Les hormones mâles induiront la formation du pénis et la descente des testicules dans les bourses alors que les hormones femelles permettront la construction de la vulve et du vagin, des seins à la puberté. Il est crucial que cette sécrétion hormonale se fasse convenablement.

En cas de dysfonctionnement, la détermination sexuelle risque de ne pas être claire. Un homme peut se retrouver avec des testicules formés mais non fonctionnels. Faute de la synthèse de certaines enzymes, il peut manquer de testostérone, fondamentale pour son organisme. Un autre problème peut survenir : les tissus de l'embryon ne possèdent pas certaines molécules appelées « récepteurs », qui ont la propriété d'être sensibles aux hormones. Que peut-il alors arriver ? Certains individus masculins, par exemple, développent un organe génital qui fait penser à un gros clitoris plutôt qu'à un vrai pénis, des femmes à l'inverse posséderont un clitoris hypertrophié, pénien. Une totale insensibilité tissulaire aux hormones mâles entraîne le syndrome du testicule féminisant : les hommes qui en sont atteints ont des organes génitaux externes de femmes.

Voilà pour l'aspect physique, mais il ne faudrait pas oublier le volet psychologique. On appelle sexe psychologique, le sexe qu'une personne, indépendamment de son aspect physique, voudrait avoir. Il représente un idéal, en fonction de l'image que chacun a de lui-même, et entraîne toute une série de désirs spécifiques. Ainsi un transsexuel qui se pense femme et s'engage dans une relation avec un homme voit cette relation comme « hété-rosexuelle ». Il s'agit d'un mécanisme psychologique bien différent de celui mis en œuvre dans l'homosexua-lité.

Le désir de changer de sexe remonte au moins à la mythologie grecque, à la légende de Tirésias. Tirésias se promène dans la forêt et assiste à l'accouplement de deux serpents. Il les sépare, tue la femelle et, aussitôt, se trans-forme en femme. Il reste femme pendant sept années et, lors de la huitième, il assiste à nouveau à l'accouplement de deux serpents, les sépare, tue le mâle et redevient un homme. Peu de temps après, Zeus, affirme que la femme trouve plus de plaisir dans l'acte sexuel que l'homme. Héra, sa femme, prétend le contraire. On questionne Tirésias qui a eu l'expérience des deux sexes. Il pense comme Zeus et affirme que la femme éprouve neuf fois plus de plaisir que l'homme. Héra, folle de colère, frappe Tirésias de cécité en raison de ce qu'elle juge être son « aveuglement ». Zeus, dans l'impossibilité de rendre la vue à Tirésias, le console en lui accordant le don de pro-phétie et la compréhension du langage des oiseaux. De la mythologie à nos jours, cette légende, qui fonde le transsexualisme, s'interroge sur le désir de l'autre sexe. Se vouloir homme quand on est femme, ou l'inverse, est source de détresse tant qu'on ne l'obtient pas et, hélas, aussi souvent quoiqu'on l'ait obtenu.

Changer de sexe soulève bien des débats. La société admet de mieux en mieux la modification d'un corps afin qu'il corresponde à l'image mentale de la personne qui en fait la demande. On compte de quelques centaines à un millier de personnes qui subissent ce type d'interven-tion en France. Les techniques chirurgicales de plus en plus performantes facilitent ce changement. Cette possibilité offerte par la médecine, qui va de pair avec une demande croissante, soulève une double question. Qu'en est-il de l'autonomie de l'individu malheureux dans son propre corps et désireux d'en changer ? Plus que jamais, grâce à Internet et aux chirurgiens qui le promettent, les résultats esthétiques et même fonctionnels créent alors le désir de modifier son apparence. Quand il y a inadéquation entre le sexe réel et le sexe pensé, le mal-vivre est aigu. La prise en charge thérapeutique échoue souvent à soulager les tourments des transsexuels d'autant plus qu'on leur vante des opérations spectaculaires. Les hommes candidats à l'opération sont traités par des œstrogènes qui entraînent le développement des seins, ils s'habituent à une tenue féminine. La situation est inverse pour les candidates au transsexualisme.

N'est-ce pas l'émergence d'un marché juteux, une source de revenus pour des cliniques en France comme à l'étranger qui « surfent » sur ce désir ? Après une longue période d'interdiction (toujours en vigueur dans de nombreux pays), une codification des pratiques s'est mise en place en France où les opérations de transformation du corps sont désormais remboursées par la Sécurité sociale. Avant toute intervention, la personne désireuse de subir une opération passe une série d'entretiens avec un psychologue, observe un délai d'attente – en général deux ans – pour consolider le désir de traitement et d'opération chirurgicale. Ablation des testicules, transformation des organes génitaux en néovagin, poursuite du traitement hormonal, et transformation de la vulve en néophallus, autant d'opérations fréquemment réalisées, chez les transsexuels masculins. La transformation inverse femme vers homme, est plus complexe et ses résultats tendent à être moins satisfaisants.

A minima, on a depuis longtemps eu recours à une artificialisation du corps. Grâce au maquillage, qu'on se peigne le corps comme il y a sans doute près de 200 000 ans ou qu'on utilise les produits actuels les plus sophistiqués, on modifie son apparence en changeant de vêtements ou en se parant de bijoux. Il existe des sociétés où les hommes se travestissent en femmes, d'autres où les chamanes repoussent les limites de leur corps par le jeu de la transe, de la musique, ou la consommation de drogues hallucinogènes. Pourquoi pas ? En revanche, la réponse chirurgicale donnée aujourd'hui à la détresse psychologique est de tout autre nature.

Ne passons pas sous silence le nombre élevé d'échecs. À peu près dans la moitié des cas, d'après les spécialistes, les interventions tournent au désastre. En clair, après leur opération chirurgicale, les personnes se sentent largement aussi mal dans leur nouveau corps qu'auparavant. Les organes mis en place (phallus, clitoris, vagin…) ne sont pas fonctionnels et certaines personnes en viennent à réclamer un « retour en arrière » souvent impossible. Haïr son propre sexe ou son propre corps ne se règle pas d'un coup de bistouri. Il ne s'agit pas de porter un jugement négatif sur ce type d'opérations qui réussit dans de nombreux cas. Mais n'est-ce pas apporter une réponse simplifiée ou simpliste à une question extraordinairement complexe ? Ce qui gêne encore plus, c'est de constater qu'un marché hautement lucratif s'est développé en réponse à cette demande. Aux États-Unis, le tarif pratiqué pour une transformation homme-femme avoisine les trente à quarante mille dollars et femme-homme pour cent mille dollars ! Le mercantilisme fait bien des ravages. Il est plus rentable d'opérer que de soigner grâce à des méthodes comportementales ou sociales.

De plus en plus souvent, on demande au chirurgien de participer à l'artificialisation des corps grâce à l'utilisation de prothèses de plus en plus perfectionnées (seins, phallus…) pour modifier son apparence et accroître l'effet sur autrui. Jamais la chirurgie esthétique n'a rencontré autant de succès. La contrainte exercée par la publicité et la mode ne cesse d'augmenter. Les seins sont trop petits, les lèvres trop minces, le pénis semble insuffisant, autant de parties du corps qui laissent insatisfaits hommes ou femmes, tous âges confondus, et de toutes conditions. C'est un marché florissant. Pour ma part, je me refuse à stigmatiser ceux qui répondent à cette demande ou à les condamner au nom de la morale. Pour autant, la manipulation des esprits est manifeste. À l'évidence, ces personnes sont soumises à des pressions multiples, celles de leurs proches, de leur communauté, de la publicité agressive et simplificatrice de la mode et de l'air du temps, dont elles sont conscientes ou non. On connaît les mécanismes psychologiques mis en œuvre pour susciter l'appétence des « consommateurs » en tout genre. Comment croire que leurs demandes soient vierges de toutes contraintes venues de la société ? En fait, une telle autonomie idéale existe-t-elle ?

Éthique minimale
et société libérale au XXIe siècle

L'idéal kantien d'une volonté autonome libre de toute influence extérieure semble illusoire. Un courant actif de l'éthique libérale propose cependant de privilégier cette illusion et disqualifie par principe toute intervention publique dans une sphère privée censée refléter une autonomie réelle. À vouloir protéger les gens contre eux-mêmes, on les traiterait en irresponsables et on entraverait leur liberté.

Les tenants de cette éthique « minimale » – dont le chef de file en France est mon ami, le philosophe Ruwen Ogien, directeur de recherches au CNRS dans un laboratoire de l'université Paris-Descartes que je préside – considèrent que l'État démocratique et laïque doit être neutre sur le plan éthique et philosophique. Les tenants de cette pensée estiment que l'État ne doit pas puiser les raisons de son intervention coercitive dans des doctrines morales. Qu'il y a peu de raisons d'intervenir dans la vie des gens. Qu'on offense gravement les droits et les libertés des personnes avec les obligations et les interdictions édictées par la puissance publique *via* les lois de bioéthique.

Si on se réfère aux États-Unis, les républicains y considèrent que le rôle de la société est de permettre à chacun de réaliser sa vie comme il l'entend, de le laisser poursuivre ce qu'il juge être son intérêt, et de ne jamais intervenir. La pensée libérale tend aujourd'hui à substituer le terme et la revendication de l'autonomie à ceux de la liberté, la première plus centrée sur l'individu alors que, historiquement, la seconde a été une aspiration collective. Des mécanismes naturels implacables conduiraient à l'édification de la société d'*Homo economicus*, comme soumis à une main invisible (Adam Smith), expliquant que les vices privés sont les garants des vertus publiques (Mandeville), idées de base du libéralisme économique.

Dans cette conception de l'État, inspirée des philosophes du XVIIIe, *Homo sapiens* est aussi un *Homo economicus*. Depuis Bernard de Mandeville et sa *Fable des abeilles* (1714), on considère qu'« un politicien habile, en manipulant adroitement des vices privés, peut en faire des vertus publiques », ainsi, ce ne serait pas en cherchant à contrecarrer l'avidité des hommes, mais en la suscitant et en la canalisant, que l'on ferait avancer la société. L'organisation sociale se doit d'optimiser l'accès autonome des citoyens à la réalisation de leurs désirs selon l'injonction de leur passion, et de « laisser faire » afin que s'établissent d'eux-mêmes les équilibres favorables « à la prospérité des nations », pour reprendre le titre d'un ouvrage d'Adam Smith. Le sentiment que l'équilibre des « vices privés » de citoyens mus par leurs pulsions et la recherche du plaisir doit conduire, « comme sous l'effet d'une main invisible » à établir la « vertu publique », implique que cela corresponde à un mécanisme de nature, et donc à un déterminant de l'action humaine.

Pour enfoncer le clou, Adam Smith explique que « ce n'est pas de la bienveillance du boucher, du marchand de bière et du boulanger que nous attendons notre dîner, mais bien du soin qu'ils apportent à leurs intérêts. Nous ne nous adressons pas à leur humanité, mais à leur égoïsme [...] ». Seul l'intérêt personnel est le moteur de la promotion du bonheur des nations... Adam Smith le souligne. Pour avoir du bon pain, rien ne sert d'enjoindre le boulanger à le produire, il vaut mieux le mettre en concurrence. La crise mondiale de l'automne 2008 montre les limites de ce raisonnement : si on place la cupidité et la gloutonnerie seules au cœur de l'harmonie, la société ne progresse à l'évidence pas vers cette prospérité des nations dont chacun pourrait bénéficier et qu'Adam Smith appelle de ses vœux.

L'autre réponse possible, c'est de prendre en considération la question de la solidarité, de la dimension du « vivre ensemble » excluant l'indifférence aux autres. Faute de quoi, on débouche sur un désastre, tant sur le plan anthropologique qu'« économique ». Pourquoi ? Dans une société où règne le libéralisme économique le plus total, les inégalités tendent à s'accroître. Adam Smith, Montesquieu et les autres penseurs de la société libérale avaient compris que la sensibilité des hommes à l'injustice fait courir le risque que les inégalités par trop choquantes soient source de tensions et de violences. Comment lutter ? Laissons faire les processus d'autorégulation, pensaient les pères du libéralisme. Le libéralisme économique doit aller de pair avec le libéralisme politique, la protestation politique aboutissant alors à limiter les inégalités, à les corriger un peu. À nous d'imaginer les mécanismes régulateurs qui tiennent compte aujourd'hui de la mondialisation des économies, l'efficacité autocorrective de la démocratie libérale étant contrecarrée par la compétition internationale avec des nations nullement libérales au sens politique du terme, au premier rang desquelles la Chine. Le monde actuel a abandonné la dimension morale du projet politique et sa finalité humaniste au profit d'une totale adhésion au schéma selon lequel seule la valeur économique mérite d'être considérée. Il a de plus perdu la recette de l'auto-correction imposée par la protestation des citoyens et promet de la sorte d'être de plus en plus inégalitaire et violent. Il se prépare à l'émergence d'une nouvelle bar-barie.

Dans celle-ci, en particulier, des êtres « auto-nomes » envers lesquels personne n'a de devoir particu-lier consomment et, lorsqu'ils ne le peuvent autrement, sont consommés, dans l'indifférence générale puisque chacun n'assume que son destin. Il sera temps de s'en occuper à nouveau lorsque ces victimes « autonomes » deviendront menaçantes, lorsque le pêcheur somalien privé de poisson deviendra pirate, lorsque le désespoir sera un terreau fertile pour le développement de tous les fanatismes et de tous les terrorismes. Mais même ces formes-là de revendication de « l'autonomie » des affamés et des méprisés n'apparaissent guère à la portée des millions de femmes qui, dans le monde, « font le choix » de faire commerce de leur corps. Une barbarie, en effet.

La pornographie

Après le marché du sexe et de la drogue, celui de la pornographie est l'un des plus florissants de nos sociétés libérales permissives. En parler, c'est prendre le risque d'être soupçonné de vouloir réprimer ou condamner. Loin de moi, cette intention. Je m'en tiens à une stricte neutralité morale face à toute pratique sexuelle respectant les règles de sincérité et de réciprocité. Ce qu'une personne fait de son corps la regarde, insistent les tenants d'une éthique minimale. Je suis d'accord sur le principe mais ne peux oublier que le spectacle pornographique n'implique pas que ses acteurs mais aussi tous ses spectateurs. En effet, la pornographie peut débuter lorsque pratiques et attitudes concernées sortent de la sphère privée. Elles ont en commun l'objectivation du corps sexuel qui aboutit à réduire la sexualité à l'exposition des organes génitaux masculins et féminins, le plus souvent en action.

Le but des images ou manifestations pornographiques est d'agir sur le public par le moyen de l'excitation sexuelle, ce qui est somme toute banal et constitue un procédé de marketing omniprésent : la voiture est bien souvent présentée de telle sorte qu'elle suggère une puissance phallique à laquelle succombe une ravissante personne prenant une pose alanguie, assise sur le capot. Ou alors, l'automobile « carrossée comme une déesse » est possédée par le conducteur. Cela dit, ces images publicitaires, toutes critiquables soient-elles, ne sont pas pornographiques, au contraire d'un film *hard* dont l'intrigue est toujours limitée à des ébats plus ou moins originaux dont les personnes sont notablement absentes, réduites à des objets d'une jouissance plutôt lugubre.

La pornographie a bien sûr toujours existé en tant que moyen puissant d'agir sur l'autre, de lui offrir une forme d'excitation qu'il recherche, voire de s'exciter soi-même. Les poètes romantiques du XIXe siècle rivalisaient de poèmes, dont certains franchement pornographiques, dans le *Nouveau Parnasse Satyrique*, reprenant la tradition du premier *Parnasse des poètes satyriques* écrit au début du XVIIᵉ siècle. Tout bourgeois, mon grand-père Kahn comme les autres, possédait tout en haut de sa bibliothèque un « enfer », rayon d'ouvrages dont mon grand-père Ferriot précisait qu'on ne les lisait que d'une main. On peut assimiler cette consommation pornographique traditionnelle à une façon particulière de vivre sa sexualité dans la sphère privée, et je ne porte aucun jugement à ce propos. J'avoue m'être moi-même bien amusé du *Parnasse satyrique* et de certains volumes dérobés dans l'enfer de mon grand-père, tout en jugeant les quelques films pornographiques que j'ai pu voir affligeants de bêtise et sinistres. Le problème débute lorsque le pouvoir de sujétion de la pornographie s'exerce sur une population qui prend là contact pour la première fois avec la sexualité et pour qui sa réduction à l'objectivation des corps, sa déconnexion de toute tendresse et sa promotion d'un plaisir sadique deviennent la norme du rapport des garçons aux filles.

La diffusion toujours plus agressive d'images dégradantes, aujourd'hui faciles d'accès sur Internet, engendre une détérioration des relations entre les hommes et les femmes, en particulier dans les jeunes générations. La multiplication des tournantes dans les cités en est une des conséquences inquiétantes. Ce phénomène contribue d'ailleurs à l'une des évolutions actuelles des plus déprimantes de nos sociétés. Alors que, trop lentement certes, mais de façon continue, la place des femmes dans les positions hiérarchiques élevées s'améliore dans la vie politique, académique ou au sein des entreprises, la condition féminine s'est aggravée dans de nombreuses cités, les filles se voyant enjointes de porter le voile et d'être soumises à leurs frères et à leurs pères, ou alors d'être des choses sexuelles impures que l'on consomme à plusieurs, comme on le voit faire sur des sites spécialisés sur le Net ou dans les films dont les cassettes s'échangent de main en main.

Lutter contre ces conséquences effroyables de la diffusion actuelle des spectacles pornographiques hors de sa sphère privée traditionnelle n'est au total pas liberticide et ne témoigne d'aucune pruderie. Il s'agit d'une manifestation de solidarité globale envers nos jeunes, d'une assistance aux filles et aux femmes en danger, d'un acte éducatif élémentaire destiné à faciliter l'émergence du sentiment amoureux partagé, en évitant que la vision n'en soit définitivement dégradée par l'empreinte du spectacle de l'instrumentalisation sauvage des corps.

3

L'intérêt, la morale et la loi

Sciences, information et démocratie

Comment assurer en permanence la protection d'autrui ? Que proposer à ceux qui se trouvent en situation de faiblesse ? Quels sont les contours du possible ? Que pensent les citoyens des problèmes moraux soulevés par le progrès scientifique, en particulier dans le domaine de la recherche médicale, biologique ou génétique ? Qui informe les citoyens et comment se font-ils une opinion ? Quel est le rôle d'une législation en matière d'éthique ; la loi de bioéthique française doit-elle évoluer ? Toutes ces questions sont importantes, elles méritent d'être approfondies par le débat public, parfois de trouver une sanction législative. Dans une démocratie, cela nécessite une information claire et sincère du public.

La France n'a pas construit sa législation bioéthique de façon pragmatique, préférant se doter de grands principes définis par une loi. Face à de nouvelles demandes sociales nées de pratiques médicales de plus en plus innovantes, quel est le « bon » questionnement sur les valeurs qui structurent la législation française ? Dans quel sens aller ? Ces questions, qui transcendent les clivages politiques et idéologiques habituels sont au cœur de la révision des lois de bioéthique. Au risque de me répéter, pour moi, leur révision tous les cinq ans est une mauvaise chose. Ma préférence va dans le sens d'une loi-cadre qui pose les principes, rentre dans quelques détails, et qui installe une série d'agences indépendantes chargées d'un rôle jurisprudentiel, c'est-à-dire d'interpréter l'esprit de la loi, dire ses valeurs, en fonction des nouvelles pratiques. Si on adopte le principe d'une révision permanente, on suggère par là que la morale est soluble dans l'évolution de la science.

Bien que les domaines sur lesquels il convient de s'interroger évoluent en même temps que les techniques, il ne faudrait pas que la loi se mît à énumérer les techniques applicables, car en cela elle serait toujours en retard. La loi expose les valeurs fortes et met en place les instances (Comité consultatif national d'éthique et Agence de la biomédecine) qui, une fois saisies, indiquent par leurs positions la marche à suivre. Dès lors que l'une d'entre elles constate le risque d'une dérive, c'est-à-dire si la jurisprudence devient contradictoire avec l'esprit de la loi, elle est en droit de demander au législateur de reprendre la main. Cette démarche démocratique, qui a le mérite d'être simple, me semble le meilleur système.

Pourquoi attendre un délai de cinq ans pour légiférer si le besoin s'en fait sentir dans l'intervalle ? Les valeurs humanistes associées à la recherche scientifique sont remises en question à un rythme de plus en plus rapide, les craintes liées à des innovations de plus en plus audacieuses redoublent : clonage, plantes OGM, neurosciences, recherches sur les cellules souches embryonnaires, etc. Quelle attitude adopter face aux pratiques interdites en

France et qui prospèrent hors de nos frontières ? Comment par exemple départager les opposants et les partisans des mères porteuses ? Faut-il lever l'anonymat des dons de gamètes ? Doit-on élargir le champ d'application du diagnostic préimplantatoire ? mieux encadrer l'accès aux tests génétiques ? Puisqu'elle engage notre idée de l'humain, il est préférable que notre réponse prenne la forme d'un cadre général servant de référence à une interprétation jurisprudentielle des situations réelles. Encore faut-il s'assurer de la fiabilité et de la loyauté des informations scientifiques données aux citoyens. C'est un enjeu social majeur.

Les nouvelles pratiques médicales et scientifiques constituent de véritables défis pour la société. La mise en œuvre de ces méthodes, plus innovantes les unes que les autres, dépend de leur niveau de sécurité, de leur « robustesse », de leur rentabilité à court ou long terme, et en dernière instance de leur légitimité au regard des valeurs que privilégie une société, conditions de l'acceptabilité des innovations.

Ces valeurs devraient être fondées sur la réciprocité, c'est-à-dire l'évidence de la qualité de l'autre. En découlent la reconnaissance et la protection chez autrui de ce à quoi chacun d'entre nous est attaché : la considération et le refus de la stigmatisation ; la protection contre tout traitement déshumanisant ; l'autonomie ; la solidarité puisque nous savons avoir parfois besoin nous-mêmes de celle des autres ; la justice car nous ne supportons pas nous-mêmes d'être traités de manière déloyale. Les grands principes de la pensée bioéthique dérivent de ces conséquences de la réciprocité, certains d'ailleurs interprétés de façon différente selon les pays

et les cultures : le respect de la qualité humaine, l'invio-
labilité du corps humain, la non-patrimonialité des éléments et des produits du corps – qu'il s'agisse du sang,
du sperme, des ovocytes ou des organes. Si l'homme a
une qualité (j'utilise ce terme plus neutre que celui de
dignité, concept dont la complexité a été soulignée dans
le chapitre 2), il n'a pas de prix, ce qui interdit de rému-
nérer une personne pour une atteinte à son intégrité physique au bénéfice d'autrui. Respecter ce principe, c'est
éviter les trafics commerciaux d'organes et conférer aux
dons une dimension de générosité et d'altruisme.

Les biotechnologies appliquées à l'homme posent
au philosophe, au politique et au citoyen des questions
sur le statut du vivant et de l'humain ainsi que sur le respect des droits de l'homme (expérimentations sur
l'homme, protection des données personnelles et de la
vie privée). Greffes et dons d'organes, embryologie et
assistance médicale à la procréation, clonage reproductif et clonage thérapeutique, techniques biométriques
d'identification des personnes, toutes ces applications
scientifiques sont à l'origine du questionnement bioéthique. Jusqu'où peut-on agir sur le vivant pour guérir
des personnes ou leur permettre de se reproduire ?
S'affrontent ici l'utilité des nouvelles techniques au bénéfice de quelques individus particuliers – les malades – et
les principes généraux qui fondent la règle collective
devant s'imposer à tous, dont le respect de la personne
humaine. La difficulté de l'exercice réside bien sûr en ce
que le respect implique aussi le soin aux malades.
Certains philosophes affirment que le législateur n'est
pas fondé à intervenir sur des droits privés. D'aucuns
regimbent devant le vote de lois de bioéthique, parce que

cela revient à imposer une norme morale. Qui dispose de l'autorité en morale ? Qui doit dire l'éthique ?

Dans une démocratie, c'est à la société qu'il revient d'indiquer ce qu'il convient de faire. Il n'existe aucune volonté supérieure à celle du peuple souverain. Plus que jamais, les enjeux économiques et géostratégiques entrent en compte. Les recherches sur la brevetabilité du vivant et des gènes et, par conséquent, sur la commercialisation de ces derniers ne cessent de se développer. La possibilité de revendiquer une propriété intellectuelle sur des séquences génétiques d'un organisme vivant, y compris humain, s'est développée depuis 1980 aux États-Unis (affaire Diamond contre Chakrabarty). C'est désormais le cas partout dans le monde, y compris en Europe. L'extension de cette pratique aux gènes et séquences génétiques humaines a déclenché un intense débat dans le monde au début des années 1990. Aujourd'hui, la quasi-totalité du génome humain fait l'objet de revendications au titre de la propriété intellectuelle. Les enjeux éthiques, politiques, sociaux et aussi économiques sont ainsi considérables et se posent à tous, politiques et citoyens.

La discussion bioéthique avance au rythme des connaissances scientifiques et techniques engendrées par de nouveaux savoirs. À chaque étape, on ne peut échapper à la question de la légitimité morale d'une application à l'homme. En conséquence, les décisions du législateur sont souvent attachées à un moment donné de l'évolution des techniques, en un mot elles sont temporaires. Alors que la loi a traditionnellement vocation à durer, les lois récentes en matière de bioéthique voient leur objet se transformer de manière accélérée. Reste enfin à considérer la question des règles et du contrôle de leur respect au niveau non plus national ou européen mais mondial. Pour ma part, défendant l'idée d'une éthique reposant sur une morale universelle, je considère qu'il s'agit d'abord de respecter les droits des personnes en tant qu'ils procèdent d'une valeur transcendante dans un monde où les savoirs et les techniques évoluent à toute vitesse.

Les courants de pensée, les religions diverses ou les préférences sexuelles, autant de groupes, de catégories professionnelles ou de familles politiques qui tentent, chacun à leur manière, de faire entendre leur voix dans les discussions liées à la révision des lois bioéthiques, ce qui n'est ni surprenant ni choquant. Pour autant, les intérêts individuels sont souvent contradictoires. Or la république n'est pas réductible à la somme de considérations particulières. Il est nécessaire d'établir une hiérarchie entre les intérêts des uns et ceux des autres, de protéger les plus faibles, et en dernière instance de faire prévaloir l'intérêt général de la société dans le respect des droits et opinions individuels. Selon certains philosophes, le législateur n'est pas fondé à intervenir sur des droits privés et imposer une norme à tous. Autre argument avancé : seuls des experts, des sages en matière de morale et d'éthique réunis à huis clos sont à même de trouver les « bonnes » réponses, et non nos élus, dans une démocratie représentative qui n'inspire que défiance.

À ces deux objections à l'opportunité d'une législation en matière d'éthique, il est possible de répondre de manière j'espère convaincante. Notre société, et cela est vrai de tous les États laïques et démocratiques du monde, est plurielle, multi-référentielle. Elle ne se reconnaît en tant que société dans aucune loi révélée unique, certains croient au Ciel, d'autres n'y croient pas. Confier la solution des dilemmes éthiques à un comité de sages reviendrait à assimiler ces derniers aux docteurs experts d'une sorte de religion d'État qui ne doit pas exister. Il n'est pas acceptable de priver la représentation démocratique des citoyens de leur rôle dans l'arbitrage national des tensions éthiques ; je ne peux me résoudre à remplacer la démocratie par l'expertocratie, le pouvoir du peuple par celui des sages, des juges et des scientifiques. Alors, pourquoi ne pas faire simple, et ne requérir ni les uns ni les autres pour trancher, laisser aux citoyens, aux professionnels et aux industriels, le soin d'agir selon leur éthique individuelle, facilitant seulement l'accroissement du niveau de conscience collectif, favorisant le débat public ?

En réalité, tout dans l'observation de la vie économique, sociale et publique témoigne de la naïveté d'une telle approche. Lorsqu'une innovation réalisable qui découle de l'avancée des sciences et des techniques se révèle rentable, elle est développées et exploitée sans préjudice de son aspect moral, à moins que la puissance publique ne la réglemente. Là où les grenades et fusils-mitrailleurs sont en vente libre, leur commerce est prospère. D'ailleurs, faire le tri parmi ce qui est possible, entre ce qui semble bénéfique et ce qu'il faut limiter ou interdire, apparaît constituer aujourd'hui l'une des fonctions principales d'un État démocratique.

Face à un champ biomédical qui bouge en permanence, le questionnement éthique doit traduire des convictions partagées par le plus grand nombre, d'où le caractère crucial du débat public qui permet la confrontation des points de vue et s'efforce de tirer partie des analyses issues des différents courants de pensée qui traversent la société. Cependant, l'exercice est exigeant car les sujets abordés sont complexes, aussi bien en ce qui concerne leurs aspects moraux que techno-scientifiques.

Demander aux citoyens ce qu'ils pensent de la parthénogenèse, de la transplantation d'organes issus de donneurs vivants, du recours à des cellules souches induites, ou à toute autre innovation sans leur fournir les éléments nécessaires à leur information, serait formel et artificiel ! S'il est bon de les interroger, encore faut-il qu'ils puissent se forger leur propre conviction. Ce sont des sujets aux multiples composantes et incidences, ce qui nécessite de clarifier et d'expliciter les techniques en cause, leur nature, leurs possibles conséquences à court et à long terme. Ces nouvelles méthodes contreviennent-elles ou non aux droits de la personne ? Qui solliciter ? Puisque la première étape de toute réflexion sur un sujet est d'en connaître la nature et le contexte, viennent d'abord les experts scientifiques à qui l'on demande un éclairage objectif de la question analysée.

La crise des experts

Ces dernières années, le recours aux experts qui fournissent des éléments de connaissance s'est accru de manière significative. Le politique, en raison de l'intolérance croissante de notre société au risque et de la judiciarisation qui l'accompagne, est persuadé qu'il lui est impossible d'appuyer sa décision sur sa conviction profonde établie par une analyse détaillée des paramètres scientifiques, techniques, économiques, éthiques, etc. Il cherche à fonder son choix sur ce qui est extérieur à lui, et qui apparaîtra en constituer un soubassement. Les experts de domaines variés sont de plus en plus souvent convoqués pour éclairer, justifier ou fonder au moins partiellement une décision politique. Ils contribuent ainsi fréquemment à orienter des politiques nationales, européennes ou internationales, donnant leur avis sur les risques associés aux innovations et évolutions diverses, ce qui apparaît bien sûr souhaitable. Les responsables politiques n'hésitent cependant parfois pas à changer d'experts jusqu'à en trouver un ou plusieurs dont les avis sont conformes aux leurs et à leurs projets, arrêtés pour des raisons plus ou moins conscientes ou avouables.

Pour les citoyens et les décideurs, les experts sont censés dire sinon le vrai, au moins rappeler de manière objective l'état des connaissances. Or leurs avis divergent souvent. Parfois, c'est que l'état de la science est traversé de controverses, de thèses opposées dont peuvent se réclamer tels ou tels spécialistes. D'autres fois, les experts ont une connivence particulière avec des secteurs d'activité liés à des intérêts économiques ou idéologiques et ont, de façon consciente ou inconsciente, tendance à s'en faire les avocats. Autre situation enfin : l'expert est lui-même un représentant d'une communauté désireuse de faire valoir son point de vue ; il utilise alors l'expertise comme un moyen de parvenir à ses fins. Les polémiques sur le sang contaminé, l'amiante, les plantes transgéniques, l'énergie et le climat procèdent à titres divers de ces mécanismes. Bien entendu, de telles incertitudes découlant des processus d'expertise font naître des doutes sur la loyauté des experts et compliquent à tout le moins l'exercice de la démocratie dans un pays industriel dont les projets reposent pour nombre d'entre eux sur des innovations scientifiques et techniques.

Au-delà des biais, hésitations, imprécisions ou erreurs possibles de leur travail, le rôle des experts, tout comme leur pouvoir, mérite d'être éclairci. À la limite, si le politique fait ce que l'expert lui enjoint, les hommes politiques deviennent inutiles, il suffit de mettre à leur place les experts. Si, à l'inverse, l'instrumentalisation des experts est totale, ils ne sont que l'alibi de la déresponsabilisation des politiques. Cette situation serait absurde et en contradiction avec l'image d'une véritable démocratie. Pourtant, la crise des « experts » est indéniable. Parce que la science prétend détenir la solution de tous les problèmes, chacun de ses échecs devient un scandale. La société est de plus en plus intolérante à l'idée même d'une impuissance, d'un risque potentiel ou d'un danger avéré. On peut la comprendre, tant les scientifiques se sont vantés de tout maîtriser et, connaissant le passé, de garantir l'avenir.

L'expert, choisi pour dresser un bilan objectif des connaissances disponibles sur un problème donné, convoqué pour ses compétences scientifiques ou techniques, et sur la base de son expérience, de sa familiarité avec le sujet pour lequel on le consulte, est irremplaçable s'il donne une information de qualité. Il n'est en principe pas un militant, et il est supposé être indépendant. L'indépendance de ses avis est aussi garantie par l'exigence de transparence de l'information recueillie. Les experts sont ainsi de plus en plus régulièrement invités à commenter dans les médias des avis qu'ils ont rendus dans le cadre de commissions fermées. Cette intervention dans l'espace public confère au spécialiste une responsabilité supplémentaire, celle d'informer – mais aussi d'influencer – l'opinion publique, et peser de la sorte plus encore sur les décideurs. Le rôle électif, idéal de l'expert est de dire l'« état de l'art » sur une question dont les citoyens et les décisionnaires politiques sont ignorants. Pour autant, il ne doit ni ne saurait se substituer aux décideurs. Il revient en effet à ces derniers de faire un choix en fonction de multiples paramètres dont l'un seulement (la facette technoscientifique ou économique) a été éclairé. C'est sur ce point notamment que l'expert se distingue du conseiller.

L'expert peut avoir tort, mais il importe qu'il expose en toute honnêteté ce qu'il croit être vrai. En tant que médecin et scientifique, mais aussi du fait de ma familiarité avec la question de la propriété intellectuelle et ma « sensibilité éthique », j'ai eu d'intenses activités d'expertise, des biotechnologies aux brevets, des plantes transgéniques à la thérapie génique, de la santé à l'université et à la gouvernance de la recherche. L'injonction éthique de dire ce qui m'apparaissait juste, quelles qu'en soient les conséquences en regard de la promotion personnelle, m'a amené à conduire des combats acharnés et parfois à contre-courant de la pensée dominante. Le drame vient des tentations qui ne manquent pas pour les scientifiques trop ou mal sollicités. Combien de scientifiques se persuadent que, face aux attaques dont leur discipline est la cible, la meilleure réponse est la défense tous azimuts ? Les voilà transformés en preux chevaliers de la « science bonne et belle ». Et prompts alors à verser dans l'utopie scientiste, dans la science-fiction idyllique !

L'émergence de la figure de l'expert dévoile une évolution du rapport de la société à la science qui ne va pas sans heurt. La science semble en effet traverser une véritable crise de légitimité parce que toutes ses promesses en matière de progrès n'ont pas été tenues. Malgré les prodiges réalisés, on vieillit encore, on souffre et on meurt. La paix, la prospérité et le bonheur ne règnent pas sans partage sur terre, et il n'est pas sûr que l'avenir prévisible soit de ce point de vue rassurant.

Depuis Charles Nicolle (cf. chapitre 8), on a pris conscience que la passion scientifique, l'exaltation de la découverte, la quête de la prouesse et, incidemment, de la notoriété conduisent à des dérives ou à des excès. L'année 1885 voit la vaccination du jeune berger Joseph Meister, auquel on injecte un extrait de moelle d'animal infecté par le virus de la rage. Avant de tester l'efficacité de sa découverte sur des personnes mordues par des chiens enragés, Pasteur envisage des expériences sur des condamnés à mort et le propose à Pedro II, l'empereur du Brésil. Un des plus proches élèves de Pasteur ne masquera pas sa réprobation lors d'une leçon sur l'expérimentation humaine qu'il donnera un peu plus tard au Collège de France. Il mettra la position de son maître, indéfendable sur le plan éthique, sur le compte de cette « témérité irrésistible qu'un délire sacré inspire au génie ; la conscience du savant étouffait la conscience de l'homme ».

Il en va bien souvent de même aujourd'hui quand un scientifique cherche à tout prix à éviter que le législateur ou l'autorité réglementaire ne lui mette des bâtons dans les roues. Ce qu'il veut, c'est avant tout poursuivre sa recherche, explorer des voies nouvelles sans que le politique n'entrave sa progression, sa liberté : cette passion d'explorer, de découvrir, de comprendre, de savoir est noble. Le chercheur est de la sorte incité à mener un combat pour éviter les entraves que le politique et l'opinion publique pourraient mettre à ses travaux. Si l'expérience fonctionne, elle sera un bienfait pour l'humanité, annonce ainsi souvent la communauté scientifique. Une entreprise passionnante sur le plan des connaissances dont on espère des conséquences heureuses pour des quantités de malades.

Les scientifiques et les médecins sont des hommes et des femmes comme les autres, avec leur enthousiasme, leurs préférences, leurs présupposés. Ils doivent en être conscients et encore plus attentifs quand ils informent le public. Leur seule légitimité vient en effet de ce qu'ils disent ce qu'ils savent vraiment et pensent être exact. Lorsqu'ils en arrivent à présenter au public non ce qui est mais ce qu'ils pensent de nature à faciliter la décision qu'ils souhaiteraient, ils risquent de perdre à terme toute crédibilité et font courir un risque considérable à la société : celui d'un divorce entre les citoyens et ses savants, divorce aux conséquences redoutables.

La passion est une icône corruptrice de l'humanisme scientifique et médical (cf. chapitre 8), tout comme l'argent. Il conviendrait que les scientifiques se remémorent la citation de Francis Bacon : « Tout savoir est pouvoir », formule qui fonde le socle de notre civilisation occidentale du progrès. Il ajoute ce conseil de prudence : « Toute innovation ne doit pas être repoussée mais qu'elle soit tenue néanmoins en suspecte, et comme le dit l'Écriture ; qu'on fasse une pause sur la vieille route et qu'on regarde autour de soi pour discerner quelle est la bonne et la juste voie pour s'y engager. »

Clonage thérapeutique,
information et lobbying

Revenons sur la question du clonage thérapeutique évoquée déjà avec quelques détails dans l'introduction. Ce fut, à mes yeux, le terrain exemplaire d'une gigantesque mystification au début des années 2000. Dans le monde entier, se révéla à cette occasion un mélange de science, de business et de déraison.

Le clonage reproductif qui sera commenté plus loin dans cet ouvrage suscite, depuis la naissance de la brebis Dolly, maints fantasmes et autant d'inquiétudes. Malgré d'importantes avancées techniques, l'expérience du clonage de milliers de mammifères appartenant à plus de dix espèces, le clonage de primates n'a pas encore été réussi. Même si on peut parier qu'il le sera un jour, la technique dans son ensemble reste complexe et les taux de succès encore limités. En ce qui concerne le clonage à visée scientifique et thérapeutique, dont l'objectif n'est pas de faire naître un enfant, mais d'obtenir des embryons clonés comme source de cellules souches embryonnaires, de nombreuses études et essais cliniques ont été menés dans le monde.

Pour bien comprendre l'ambiguïté de la technique, il faut savoir qu'elle consiste schématiquement à créer un embryon humain en transférant, dans des ovules débarrassés de leur noyau, un noyau de n'importe quelle cellule du corps humain, de la peau, du foie, ou d'ailleurs – à l'exception des cellules sexuelles. L'intérêt théorique de la méthode est d'obtenir des cellules souches ayant les mêmes gènes – et les mêmes antigènes – que l'organisme dont les noyaux sont issus. Ces cellules ont l'extra-ordinaire propriété de pouvoir donner naissance à tous les tissus, et ainsi en principe de régénérer des organes défectueux. Elles représenteraient de la sorte une ressource médicale précieuse pour des patients atteints de maladies dégénératives diverses (Parkinson, Alzheimer, chorée de Huntington), d'insuffisances hépatiques, de diabète, d'infarctus du myocarde, etc. En théorie, ces cellules devraient avoir un intérêt thérapeutique considérable, puisqu'elles seraient parfaitement tolérées par l'organisme dont elles possèdent les mêmes gènes et antigènes. Cela pourrait sembler une promesse merveilleuse !

En réalité, c'est un procédé médical peu crédible tant la technique serait compliquée, lourde et chère. De telles recherches nécessitent un stock d'ovules important. Rappelons que, en Corée, le Pr Hwang (condamné depuis pour fraude) a eu besoin de 2 061 ovules prélevés chez 450 femmes pour un résultat nul. Pour réunir ce stock, il a dû, d'un côté, faire pression sur ses laborantines et, d'un autre, acheter des ovules à 1 500 euros la dizaine. Où trouver le nombre suffisant de donneuses d'ovules acceptant des stimulations hormonales ? Imaginez la débauche de moyens pour chaque malade à soigner... Par conséquent, pour mener cette recherche, se pose en premier lieu la question démocratique fondamentale de la protection des femmes et de leur corps. Autre écueil, et non des moindres, il pourrait y avoir un risque de cancérisation, dû à l'utilisation de ces cellules embryonnaires qui ne demandent qu'à se répliquer et contre lesquelles il n'y aurait plus de défense immunitaire.

Les médecins et les biologistes ne sont en général pas des sots, ils ont très tôt pris conscience de ce caractère peu réaliste du « clonage thérapeutique ». Cependant, ils se sont aussi rendu compte que la fabrication d'embryons humains clonés risquait en soi de rencontrer l'opposition de larges secteurs de l'opinion publique et du législateur. Or, nous l'avons vu, les scientifiques aspirent à développer leurs travaux sans obstacle. Dans le cas présent, ils étaient pour la plupart tentés, de manière légitime, par l'aventure expérimentale du « clonage scientifique », c'est-à-dire de la création par clonage d'embryons humains à des fins de recherche scientifique. Afin de surmonter les réticences de l'opinion et du législateur, la présentation de cette approche comme porteuse d'un gigantesque espoir thérapeutique pour des malades souffrant de handicaps et d'affections cruels apparaissait être une stratégie efficace.

Dans le monde entier, on vit alors les sociétés savantes et la communauté scientifique enrôler à leur corps défendant malades, familles et associations et se lancer dans un gigantesque lobbying auprès du public, des assemblées et des autorités : si le clonage thérapeutique n'était pas autorisé, le législateur prendrait la lourde responsabilité de priver des malades désespérés d'un remède quasi assuré ! L'obstination obscurantiste des politiques empêcherait les paralytiques de remarcher et les cardiaques de retrouver leur souffle…

Quoique j'y sois à titre personnel peu favorable, je comprendrais fort bien que l'on autorisât les chercheurs à mener de prudentes recherches exigeant la fabrication d'embryons clonés. En revanche, j'ai été outré de la tactique utilisée, celle d'une information non sincère donnée dans le but d'amener les décideurs à consentir à ce que l'on souhaitait. Lorsque l'expert devient un lobbyiste, je l'ai dit, la démocratie est en danger puisque, en matière scientifique et technique, elle exige que citoyens et législateurs disposent d'un éclairage non biaisé de la question traitée. Aujourd'hui, tout cela est oublié car la technique consistant à fabriquer des cellules souches embryonnaires – ou y ressemblant – à partir de prélèvements de peau rend largement caduc le clonage thérapeutique dont les objectifs peuvent être atteints de façon plus aisée et plus crédible.

Les sources de la pensée et des normes éthiques

Venons-en à la place de la morale dans la décision politique. À qui revient-il de fixer les normes éthiques collectives, quelle doit être leur forme ? Question déjà abordée : la loi est-elle la mieux adaptée en cette matière ?

La volonté générale que doit exprimer une loi, en particulier en matière de bioéthique, n'est pas l'addition abstraite de désirs particuliers, voire antagonistes, comme on l'a souligné. Comment s'accorder sur des valeurs communes que le droit a vocation à traduire ? Comment les logiques scientifique, économique et morale peuvent-elles coexister ? Sont-elles inconciliables ? Expliquer une décision morale, légitimer un choix politique, par exemple, c'est pouvoir dire sur quoi repose, en vérité, la position prise. Aucune justification de circonstance ou de façade ne saurait suffire. Il ne s'agit pas de répondre en rationalisant un parti pris arbitraire. C'est le fondement de la réflexion qui est exigé. En raison de quels principes la décision est-elle arrêtée ? Et pourquoi ces principes s'imposent-ils plutôt que d'autres ?

Quelle est l'articulation entre le droit et l'éthique ? La vocation du droit est celle d'intervenir sur l'ensemble des rapports sociaux, puisque les intérêts individuels, parfois légitimes, sont souvent contradictoires. Qu'y a-t-il de mieux qu'une loi pour établir une hiérarchie entre les intérêts des uns et des autres, protéger les plus faibles et faire prévaloir l'intérêt général de la société ? Par exemple, on voit mal comment le législateur pourrait s'abstenir de réglementer le divorce et considérer que la répudiation est une simple affaire de vie privée. Dans un système de droit écrit comme le nôtre, la jurisprudence n'est pas une source équivalente à la loi. Depuis la Révolution française, il est interdit aux juges de statuer hors du cadre du litige qui leur est soumis. En principe, seul le législateur peut adopter des dispositions générales et impersonnelles. Le juge tranche les litiges, applique la loi, en l'interprétant et en l'adaptant aux réalités sociales, mais la portée normative de ses décisions devrait rester limitée. En outre, il va de soi que les questions de société méritent un débat démocratique.

La conception française – et en fait de façon assez générale des pays européens continentaux – est celle du droit positif, d'origine antique puisque le code d'Hammourabi, déjà évoqué, vieux de plus de trois mille sept cents ans, en constitue le premier exemple. Pour notre part, notre législation est fille du droit romain, ensemble de codes dont les différents articles s'efforcent de préciser de façon assez exhaustive les limites des pratiques, la liste des interdits et les sanctions encourues en cas de transgressions. La jurisprudence ne fait dans cet esprit que préciser l'interprétation de la loi dans des situations singulières non envisagées par le législateur.

La tradition anglaise de la « loi commune » est différente. Elle repose sur la philosophie des droits naturels, à l'origine d'essence créationniste : sont naturels aux êtres humains les droits et devoirs qui leur ont été accordés par le créateur, qu'il soit une divinité ou la nature divinisée. Le rôle du juge n'est plus tant de faire appliquer la loi édictée a priori que d'interpréter ce que sont les droits naturels des personnes confrontées à des situations diverses, situations constatées et non anticipées par le législateur. Lorsqu'une innovation paraît soulever des problèmes génériques tels qu'elle mérite d'être encadrée, une commission *ad hoc* est constituée qui interprète, elle aussi, l'esprit de la loi naturelle appliquée aux nouvelles pratiques et à leurs conséquences. En bref, la jurisprudence est dans ce système non pas en aval de la loi, elle en constitue la source, en une démarche qui s'adapte au mieux à l'utilitarisme et au pragmatisme, deux courants philosophiques nés en Grande-Bretagne pour le premier et aux États-Unis pour le second, et qui sont des références majeures de la pensée éthique dans ces pays.

La jurisprudence Perruche et la loi

L'affaire Perruche qui a engendré des débats considérables en France au début des années 2000 témoigne de la tendance lourde à la montée en puissance du pouvoir juridique et de la logique jurisprudentielle dans la sphère même des pays se réclamant du droit positif.

Rappelons les caractéristiques principales de cette affaire. Nicolas Perruche est né en 1983, atteint de malformations multiples et d'un retard mental sévère à la suite d'une rubéole de sa mère durant sa grossesse. Cette dernière n'avait pas été dépistée à cause d'une erreur de diagnostic du laboratoire. De ce fait, la mère faussement rassurée n'avait pu demander une interruption médicale de grossesse, qui eût été acceptée, sans aucun doute, en application de la loi du 17 janvier 1975.

Après une longue saga judiciaire qui a débuté en 1989, la Cour de cassation en assemblée plénière prend un arrêt sans appel possible, le 17 novembre. Elle déclare que « dès lors que les fautes commises par le médecin et le laboratoire dans l'exécution des contrats formés avec Mme Perruche avaient empêché celle-ci d'exercer son choix d'interrompre sa grossesse, et ce afin d'éviter la naissance d'un enfant atteint d'un handicap, ce dernier peut demander la réparation du préjudice résultant de ce handicap et causé par les fautes retenues ». C'était la première fois que la jurisprudence consacrait en termes aussi clairs le droit de l'enfant né handicapé d'être indemnisé de son propre préjudice. Le fait que les parents soient indemnisés n'était pas en cause dans cette affaire et n'est plus contesté depuis longtemps au moment de la décision.

Par la suite, jusqu'à la fin de l'année 2001, la Cour de cassation rendra des arrêtés similaires sur des cas voisins. Le 28 novembre 2001, par exemple, elle recommandait l'indemnisation leur vie durant de deux enfants nés trisomiques (trisomie 21) à la suite d'une erreur de laboratoire, afin de compenser leurs préjudices, intellectuels et esthétiques. Sans reprendre dans le détail tous les arguments échangés, il faut noter ici que cette jurisprudence

Perruche était en flagrante contradiction avec l'esprit, voire la lettre de la loi Veil de janvier 1975. Comme j'y reviendrai, cette dernière repose sur la conviction que la mère est la personne la plus légitime pour indiquer ce qu'elle juge être la moins mauvaise solution lorsqu'un diagnostic prénatal l'a informée que le bébé serait atteint d'un handicap ou d'une maladie d'une particulière gravité. Avec la jurisprudence Perruche, changement de perspective : la norme sociale apparaît être ici l'interruption de la grossesse, car vivre constituera un préjudice pour l'enfant. De ce fait, une indemnisation spécifique ne sera prévue que dans le cas où la naissance est non intentionnelle, qu'elle résulte d'une erreur de diagnostic.

En revanche, si la mère informée choisit de garder l'enfant, droit que lui reconnaît la loi de 1975, ni elle ni lui n'auront droit à une aide particulière. De plus, l'attitude de la Cour est à l'évidence réprobatrice envers ces femmes, assez irresponsables pour avoir imposé à des êtres « sots et laids », d'après l'arrêt du 28 novembre 2001, une vie qui leur sera préjudice. Dans ce cas, le législateur a repris la main par la loi du 4 mars 2002, annulant toutes conséquences de la jurisprudence Perruche et en revenant à l'esprit de 1975 : tous les enfants handicapés méritent une solidarité identique de la part de la société, nulle indemnisation ne peut être donnée pour avoir perdu la chance de n'être pas né ; il n'empêche, les critiques à cette « rébellion » du législateur contre l'empiètement de sa prérogative d'édicter la loi par une pratique jurisprudentielle quelque peu dévoyée, furent très vives. Cet épisode marque bien une évolution de l'équilibre entre le législateur dépositaire d'une légitimité démocratique et le juge, expert qui en est dénué.

Antigone et la démocratie

Je reste pour ma part, je l'ai dit, attaché à la démocratie représentative et à la notion selon laquelle écrire la loi revient aux représentants légitimes des citoyens, et non à des juges interprétant une hypothétique loi naturelle. Reste que, dans l'un et l'autre système, une même question peut être posée : quelle garantie existe-t-il qu'une loi promulguée en parfaite conformité avec les dispositifs constitutionnels et touchant aux questions d'éthique soit bonne, voire « morale », selon des critères dont j'ai souligné la relative permanence. Ce problème renvoie à celui plus général des rapports entre la loi et la morale.

Bien sûr, personne n'est assez naïf pour imaginer que la politique puisse se limiter jamais à la poursuite d'objectifs moraux. À l'encontre d'un certain irénisme dans la pensée d'Emmanuel Kant, Hegel notait avec justesse que, selon ce principe, bien peu de grandes choses auraient été accomplies dans l'histoire. Mais la question mérite d'être posée : une loi immorale, quand bien même elle a été adoptée sans irrégularité, est-elle légitime ? Les exemples abondent qui illustrent la pertinence de cette question, de la loi sur l'apartheid en Afrique du Sud à la peine de mort, à l'amendement Mariani sur les tests ADN exigés pour le regroupement familial, jusqu'à la victoire « démocratique » de dictateurs, tel le chancelier Hitler dont la victoire électorale en 1933 n'est pas contestée.

En matière de législation dans le domaine de l'éthique, le paradoxe apparaît encore plus frappant : dans une démocratie authentique, il n'existe pas de légitimité supérieure à celle des élus du peuple pour déterminer ce qu'il convient d'autoriser et ce dont il importe de protéger les citoyens. La position du législateur, quand bien même elle est précédée de larges débats conduits dans de bonnes conditions et s'appuie sur les avis circonstanciés d'instances de réflexion éthique, tel le Comité consultatif national d'éthique, peut se révéler à l'usage détestable. La voie étroite qui permet de surmonter cette contradiction est suggérée par l'*Antigone* de Sophocle.

La pièce commence lorsque Antigone décide de braver l'interdiction de son oncle Créon et d'ensevelir le corps de son frère Polynice. La loi édictée par le roi a une double légitimité : d'une part, il est le roi ; d'autre part, on ne peut qu'approuver ses efforts pour éviter l'affrontement fratricide de ses neveux Étéocle et Polynice. Créon échoue ; Polynice attaque Thèbes et son frère, ils s'entretuent. La volonté du souverain de faire un exemple afin d'éviter que de tels drames ne se reproduisent est compréhensible. Antigone se réfère quant à elle à des valeurs irréductibles à la loi. Elle considère comme sacré le devoir d'ensevelir les morts ; elle se rend par conséquent une nuit auprès du corps de son frère et verse sur lui, selon le rite, quelques poignées de terre. Créon apprend d'un garde qu'Antigone a recouvert de poussière le corps de Polynice. On amène Antigone devant lui et il la condamne à mort. Elle est enterrée vive dans le tombeau des Labdacides. Plutôt que de mourir de faim, elle préfère se pendre.

Ici, la faute de Créon n'est pas l'interdit qu'il a promulgué : il en avait le droit et avait quelques raisons de le faire. Créon est cependant un tyran, il ne peut accepter la contestation de son pouvoir et la violation de sa loi, il fait mourir sa nièce Antigone. Une démocratie, quant à elle, si elle avait édicté la même norme, aurait pu punir Antigone de l'avoir transgressée mais lui aurait garanti le droit de faire valoir son opinion, de la défendre et de parvenir, le cas échéant, à modifier le sentiment du peuple et par là à faire évoluer la loi. Il en va de même pour les parlementaires qui doivent avoir conscience qu'un texte qu'ils s'apprêtent à adopter, même s'il jouit d'une légitimité démocratique, peut se révéler à terme insuffisant et mauvais. La poursuite du débat dans le respect de la loi laisse alors la place à des inflexions et corrections ultérieures.

En résumé, un exécutif démocratique, tout comme Créon, peut se tromper. Le premier ménage la possibilité de sa propre contestation légale et de la sorte sa capacité d'autocorrection garante du progrès législatif. Le second, Créon, réduit ses contestataires au silence, n'hésitant pas pour y parvenir à les tuer, et perd en cela l'essentiel de sa possibilité de percevoir ses erreurs et de les corriger ; ce faisant il se perd lui-même.

La loi et la morale

Résumons nos réflexions sur le point crucial des conditions d'adoption des normes éthiques dans une société démocratique moderne ne se réclamant d'aucune autorité philosophique, culturelle ou religieuse unique.

La tâche m'apparaît possible car la notion de réciprocité entre les personnes, débouchant sur l'évidence de la valeur de l'autre, a vocation à être une référence universelle. Il s'agit là en effet d'une condition essentielle de l'émergence de l'humain dans un être possédant des gènes d'*Homo sapiens*. S'appuyant sur un vaste corpus historique et culturel, des instances diverses, relevant d'autorités particulières – religieuses, philosophiques, associatives ou communautaires – se saisissent des questions nouvelles qui nécessitent un éclairage éthique et définissent des positions qui peuvent être variées. On dispose alors des avis des Églises, des libres-penseurs, des francs-maçons, des parents célibataires, des hétérosexuels, des homosexuels, des transsexuels, des représentants des familles, des communautés rurales de la Creuse, etc. Ce sont là des opinions qui participent toutes au débat public. Aucune n'est a priori illégitime même si celles émanant des hiérarchies religieuses établies en lesquelles se reconnaissent de nombreux citoyens, telle l'Église catholique dans notre pays, ont une influence particulière que contrebalancent plus ou moins les interventions de la pensée agnostique. Dans de nombreux cas, l'analyse éthique des sujets abordés est l'objet d'autres influences d'essence économique, politique ou idéologique.

Afin d'enrichir la réflexion éthique et de la déconnecter autant que possible des intérêts et des présupposés partisans, des comités publics d'éthique ont été créés. Le Comité consultatif national d'éthique installé en 1983 par le président François Mitterrand après la naissance d'Amandine, premier bébé éprouvette français, est le plus ancien au monde de ce type. Il organise en son sein la diversité des points de vue puisque ses membres comprennent des représentants des grandes religions et courants de pensée. Y participent aussi des experts divers, dans les domaines des sciences du vivant et de la santé, du droit, de la philosophie morale, de la vie politique et sociale. Le CCNE instruit les dimensions scientifiques, sanitaires, économiques et sociologiques des problèmes étudiés. Il éclaire ces derniers des références morales diverses de ses membres qui s'accordent néanmoins sur le nécessaire respect de l'altérité de l'autre. Ce travail aboutit à un long rapport exposant la question traitée, il en dissèque les différents aspects et explique le cheminement vers un avis partagé ou, plus rarement, plusieurs avis, les uns majoritaires au sein du comité et les autres minoritaires.

Les médias et les citoyens ont une tendance, qu'il faut dénoncer, à n'accorder d'importance qu'aux avis donnés alors que ces derniers constituent juste une contribution au nécessaire débat public. Ce dernier devrait s'enrichir surtout des rapports associés qui spécifient les raisons explicites pour lesquelles telle ou telle solution a été privilégiée, en fonction de valeurs jugées les plus pertinentes dans les cas étudiés. Le statut d'une instance du type du CCNE est certainement éminent en ce qu'il organise le débat entre spécialistes et représentants de différents courants religieux et philosophiques, membres de professions diverses concernées par le champ des saisines. Malgré cette originalité qui leur confère un poids important, les instances du type du CCNE devraient surtout être appréciées pour leur contribution au débat, pour leur capacité à éclairer les enjeux dont il importe que les citoyens et leurs représentants se ressaisissent et non, nous l'avons vu, comme une source de normes morales impératives. En aucun cas, une assemblée dépourvue de mandat représentatif ne devrait priver la représentation nationale de sa vocation à dire le droit, à promulguer la loi, lorsque cela paraît justifié. J'ai expliqué pourquoi le passage par la loi était en effet parfois souhaitable, seul moyen d'imposer la volonté populaire là où triompheraient sans cela des intérêts économiques, des pulsions idéologiques ou des présupposés partisans.

Reste une question difficile, celle de la compatibilité entre la morale et la loi. Certes, nous avons établi que l'objet de la loi ne pouvait être ramené au respect des règles morales, tout en questionnant la qualité de lois que l'on pourrait juger immorales. Posons une question encore plus radicale : la différence de nature et de finalité entre les normes du droit et de la morale ne les rend-elle pas incompatibles, achevant alors de miner les fondements de toute législation éthique ?

En fait, j'avancerais volontiers le postulat inverse : un projet politique et sa traduction législative dépourvus de visées morales existent – hélas – mais ne sont pas recevables. Quel est l'objet de tout dessein politique, si ce n'est d'assurer le mieux-vivre des personnes et leur épanouissement ? Marxiste, libérale, ou socio-démocrate, la gouvernance politique met plus ou moins l'accent sur la société dans son ensemble et sur les individus. À l'inverse, rares sont les dirigeants qui afficheraient leur volonté de voir les citoyens vivre de moins en moins bien. Pareil projet aurait peu de chances d'être accepté ou, en tout cas, finirait heureusement toujours par ne plus l'être. En réalité, le seul objectif acceptable et légitime d'un projet politique est celui dont l'homme est à la fois sujet et finalité. Le domaine de l'éthique appartient de plain-pied au politique.

4

La procréation dans tous ses états

La lutte contre la stérilité

Le désir d'enfant a toujours existé, et existera toujours. D'Osiris, dieu de la fécondité à la *Théogonie* d'Hésiode, en passant par Apollon, seul dieu capable de guérir de la stérilité, la mythologie ne manque pas d'exemples pour nous le rappeler. Certains couples, par choix, renoncent à avoir un enfant, mais leur nombre n'a jamais varié de manière significative. La valeur de l'enfant reste fondamentale dans nos sociétés, et nombreux sont ceux qui semblent prêts à tout pour en avoir un. Rien de plus insupportable pour le plus grand nombre que de rester sans descendance.

La stérilité reste un mal répandu, et les moyens de lutter contre ce qui était considéré dans les temps anciens comme une malédiction ont toujours été pléthoriques. Au début du XXe siècle, les femmes en mal d'enfant récitent des neuvaines ou s'adressent à des guérisseuses. D'autres se frottent le sexe contre des menhirs réputés pour favoriser la fécondité. Combien, encore aujourd'hui, se rendent au cimetière du Père-Lachaise auprès du gisant en bronze de Victor Noir ? La petite rondeur de l'entrejambe qui ressemble à une érection est synonyme de fertilité. Les femmes appliquent leurs parties intimes contre ce renflement et embrassent le visage de cet homme. Ce n'est qu'une légende parmi d'autres !

De nos jours, grâce au biologiste de la reproduction qui met en œuvre des méthodes de plus en plus performantes, les couples bénéficient de moyens nettement plus efficaces ! La lutte contre la stérilité a avancé de façon prodigieuse. Mais sans que tout ait été résolu, loin de là.

En parallèle avec ces progrès, une revendication croissante a émergé : celle d'une authenticité biologique de la filiation. Une nouvelle génération de géniteurs considère que seule la filiation par le sang est digne de ce nom. C'est un véritable fait de société qu'il faut prendre en compte. Dans la Rome antique, le fils adoptif avait même statut que le fils biologique. Le cri de Jules César « *Tu quoque, fili !* » à Brutus, son fils adoptif, qu'il identifie parmi ses assassins, est là pour le rappeler. Faut-il faire une différence entre la filiation par le cœur et celle par le sang ? Est-elle plutôt naturelle ou culturelle ? Les deux ne sont-elles pas liées ? Grâce à Internet, des laboratoires basés à l'étranger proposent des tests de paternité à bon marché, fiables et sans procédure judiciaire. Cette offre bouleverse bien des existences. Autrefois, le père était celui qui se reconnaissait comme tel ou acceptait d'élever l'enfant d'un autre. L'amour porté à un enfant adopté ne le cède en rien à celui montré à son descendant biologique. Quelle est dès lors la différence entre un géniteur biologique et un parent officiel ?

De nos jours, la seule filiation par le cœur semble ne plus suffire et son authenticité se voit contestée. Des textes internationaux stipulent parmi les droits de l'enfant celui de connaître ses origines. Fait nouveau, on voit des géniteurs s'interroger sur ce qu'il est désirable de transmettre à leurs enfants. Influencés par l'uniformisation ou la standardisation des modes de vie véhiculés par les médias, ils se montrent obsédés par la transmission de leur patrimoine génétique. Que transmettre si l'éducation donnée est la même dans le monde entier ? La filiation par le cœur implique la transmission à l'enfant de valeurs propres aux parents. Mais, dès lors que les valeurs sont universelles du fait de la mondialisation, identiques de Tokyo à Toulouse en passant par Atlanta, se pose la question de la spécificité du bagage donné à sa progéniture. Alors, n'y aurait-il rien de plus original que ses propres gènes ? Outre les biens mobiliers ou immobiliers qui composent un héritage légué à ses enfants, on cherche à transmettre de plus en plus son patrimoine génétique.

L'enfant est devenu une valeur suprême : enfant roi, enfant précieux, enfant indispensable... À l'heure de l'individualisme, l'enfant semble nécessaire à l'épanouissement. Au moment où le nombre d'enfants diminue par famille, leur valeur s'intensifie de manière presque mécanique. Et l'incapacité à enfanter est subie comme une blessure narcissique, vécue comme un échec personnel, ressentie avec une telle intensité que certains couples se tournent vers des solutions extrêmes et seraient prêts, s'il était au point, à recourir au clonage reproductif (lire p. 151). D'un côté, le désir d'avoir moins d'enfants semble croître, de l'autre, le recours à des artifices médicaux pour procréer ne cesse de se développer. Comment la société se doit-elle de répondre à cette intolérance croissante à une filiation qui ne serait pas celle du sang ? N'allons-nous pas vers un acharnement procréatif ?

Toute réflexion éthique sur la fécondité nécessite de prendre en compte l'intérêt de l'enfant. En cas d'assistance médicale à la procréation, il faut ajouter l'avis de l'autorité médicale et juridique. Face à l'exigence d'enfant, la médecine risque d'être conduite à imaginer des techniques de procréation de plus en plus audacieuses.

Les nouvelles techniques se multiplient, d'autres sont sur le point de voir le jour. On sait reconstituer, chez un homme stérile, une cellule proche du spermatozoïde à partir du prélèvement d'un fragment de tissu de l'intérieur du testicule. Des biopsies testiculaires suivies de manipulations hormonales ont abouti à la production de quelques gamètes fécondants. Il s'est trouvé des hommes placés devant le dilemme de choisir entre la fécondation de leur compagne avec le sperme d'un donneur et le recours à ce genre de technique. Quel enfant en naîtra-t-il ? Est-il raisonnable de prendre un tel risque ?

La vitesse à laquelle on progresse rend nécessaire de réfléchir à une version « actualisée » du mythe de Salomon. Un biologiste de la reproduction reçoit deux couples stériles et leur tient ce discours : « Compte tenu de la nature de votre stérilité, il n'y a pas de solution. Je vous propose une nouvelle technique de procréation inédite à ce jour. Ne bénéficiant d'aucun recul, je suis dans l'incapacité de vous garantir son innocuité. Je ne peux totalement exclure que l'enfant, s'il naît, ne soit pas affecté d'anomalies psychique ou physiques. » Qui choisir, entre le père qui exige d'avoir un enfant de son sang, malgré le risque d'une technique encore expérimentale, et celui qui fait le deuil de sa paternité biologique afin d'avoir un enfant qui ne coure pas le risque de naître handicapé ? Les limites de l'infécondité sont sans cesse repoussées, quitte à prendre des risques inconsidérés, ce qui débouchera tôt ou tard sur une catastrophe. L'évolution des techniques de lutte contre les stérilités continue de plus belle, insensible aux débats et frayeurs qu'elle suscite, sous la pression d'une exigence de filiation biologique à tout prix.

Homosexualité, homoparentalité, et procréation

Comme je l'ai déjà développé, l'homosexualité, en tant que pratique sexuelle entre adultes consentants, n'appelle de ma part aucun jugement moral. Le mariage homosexuel ne me dérange guère. La religion qui le récuse au nom de l'impossibilité de procréer me semble un mauvais argument. Pourquoi ne pas récuser au même titre le mariage hétérosexuel de deux septuagénaires qui n'ont pas plus de chances de créer une famille ! La société n'a aucune raison réelle de s'opposer à pareille union, même si à titre personnel cette revendication des couples homosexuels me surprend.

En revanche, l'homoparentalité, plus complexe, mérite une réflexion approfondie. Ce ne sont pas seulement deux partenaires qui sont concernés, puisqu'il faut inclure l'enfant à venir et le « monde extérieur » qui joue un rôle primordial. Le juge qui accepte l'adoption, le biologiste de la reproduction qui permet à un homosexuel

masculin d'inséminer une mère porteuse, ou à une homo-
sexuelle de bénéficier du sperme d'un donneur, sont
autant de tierces personnes qui interviennent. Certains
homosexuels invoquent leur « droit à l'enfant » qui ne
regardent qu'eux-mêmes. Pour moi, la société se doit de
s'interroger sur la qualité de la vie promise à cet enfant.
Quel est son intérêt ? Bénéficiera-t-il des mêmes chances
d'épanouissement dans un couple homosexuel ou hétérosexuel ?

D'aucuns estiment que l'homoparentalité, peu
répandue, est loin d'être acceptée. L'enfant ne risque-
t-il pas de souffrir à l'école de cette structure familiale ?
Comment expliquer aux enseignants et aux camarades
qu'il a deux mamans ou deux papas ? En toute franchise,
dans le cas d'un couple stable, aimant et aisé, cette
« bizarrerie » semble bénigne. Dans une société qui stig-
matise l'homoparentalité, cela pourrait être une menace
pour l'enfant. Mais le jour où ce type de situation sera
devenu banal, le problème disparaîtra de lui-même. Il est
fréquent que des enfants soient élevés par des femmes
seules. Avoir un père alcoolique et brutal, ou une mère
célibataire sans emploi et abandonnée par un homme
bien vite enfui, voilà des conditions bien plus effroyables ! Le débat est ailleurs.

Les couples de femmes homosexuelles recourent
aujourd'hui au service d'un ami, ou à du sperme de donneur, si elles veulent un enfant biologique de l'une
d'elles. Demain rien ne les empêchera peut-être de faire
appel à un nouveau type de parthénogenèse (reproduction sans mâle). Un jour, on reproduira chez la femme ce
que l'on a réussi récemment à accomplir chez la souris :
transformer un ovocyte en un gamète ayant les capacités

fécondantes d'un spermatozoïde. Deux femmes qui désirent une enfant pourront utiliser cette technique, l'une contribuant par un ovule et l'autre par un autre ovule légèrement modifié remplaçant un spermatozoïde... Elles ne donneront naissance qu'à des petites filles, qui ne seraient pas des clones de leurs mères. Leurs patrimoines génétiques seraient diversifiés tout comme lors d'une fécondation homme-femme.

Je reste indécrottablement attaché au modèle classique dans lequel l'étreinte d'un homme et d'une femme constitue l'acte fécondant par excellence. J'y investis même une valeur certaine lorsque s'y rajoutent l'amour et le désir partagé d'engendrer et d'élever un enfant ensemble. Pourtant, en rationaliste exigeant, je me trouve un peu court s'il s'agit de disqualifier sans réserve le souhait, partagé lui aussi, de deux femmes homosexuelles d'engendrer ensemble. En effet, leur amour n'a pas de raison d'être mis en doute, leur désir d'enfant est assurément sincère, seul le choix du sexe par défaut limite la diversité aléatoire de la progéniture. Au total, perspective peut-être peu sympathique pour beaucoup, mais immorale, pourquoi ?

Les nouvelles recherches en procréatique

Emporté par le vertige du succès, une partie des biologistes qui ont, ces dernières années, entrepris des recherches parfois fructueuses dans le domaine de la procréation assistée, continuent implacablement d'aller de l'avant, chaque obstacle franchi les conduisant à relever un nouveau défi : de plus en plus fort... de plus en plus fou ? L'ICSI (*Intra Cytoplasmic Sperm Injection*) qui consiste à injecter directement un spermatozoïde dans un ovocyte, hier révolutionnaire, tend à devenir aujourd'hui la méthode standard de fécondation *in vitro*. De nouvelles prouesses sont à attendre.

Devant de pareilles avancées, comment se comporter de manière « morale » ? Que veut-on préserver ? Une approche éthique se prépare en précisant les valeurs que l'on veut privilégier. En matière d'assistance médicale à la procréation utilisant des méthodes innovantes, on ne peut parler d'« essais sur l'homme » ; on est plutôt dans une configuration d'« essais d'homme », souvent sans expérience préalable suffisante pour s'assurer de l'« innocuité » de la technique. Innocuité signifie ici non seulement succès ou insuccès de la fécondation mais surtout qualité de l'enfant à naître : absence de malformations et de susceptibilité à des maladies, développement psychomoteur normal après la naissance. Or les raisons théoriques d'être inquiet ne manquent parfois pas. Il est plus que jamais nécessaire de lever ces inquiétudes avant d'aller, le cas échéant, de l'avant.

Il y a un double défi : la survenue d'une grossesse et l'état de l'enfant une fois né. Ce second pari serait-il perdu, ses conséquences ne pèseraient par sur les seuls parents, mais aussi sur cet enfant improbable et incertain dont ils auraient permis, malgré tout, la naissance. Tout dans l'histoire des entreprises humaines indique que la fuite en avant – ici due à l'irrésistible désir de descendance biologique – aboutira un jour à des catastrophes, à des essais « ratés » d'homme.

La priorité, c'est l'intérêt de l'enfant. Le but de ces nouvelles techniques de procréation n'est pas de mettre au monde des bébés handicapés, affligés de malformations ou de désordres mentaux. Tout doit être mis en œuvre pour qu'ils possèdent au maximum leurs chances d'épanouissement. Ensuite, il convient d'éviter que les géniteurs et/ou les médecins ne s'arrogent un trop grand pouvoir, notamment celui du choix des caractéristiques de l'enfant. Le hasard sera toujours préférable à cette prise de pouvoir par les parents assistés des biologistes ou des médecins de la reproduction. Ni la volonté des géniteurs ni les normes standard, considérées comme socialement désirables, ne devraient l'emporter sur l'incertitude offerte par la loterie de l'hérédité protégeant l'enfant à naître d'une prise de pouvoir prénatale sur son corps.

Depuis la nuit des temps, les couples aspirent à avoir de beaux enfants. Aujourd'hui, la technique peut donner l'impression qu'elle est capable d'y pourvoir, ou au moins d'assurer que leurs malfaçons seront évitées. Cela induit sans conteste dans la société une pression en faveur d'un « eugénisme positif » dont la visée n'est pas absente des recherches. En intervenant sur la biographie d'une personne, avant qu'elle soit mise au monde, on limiterait sa liberté et son autonomie, ou au moins son indépendance vis-à-vis des tiers procréateurs. La prédétermination des traits, du sexe, voire d'autres caractéristiques emprisonnerait les personnes dans les limites de la volonté d'autrui, comme le fatum (la maïra) pesait sur les héros grecs. La liberté des parents s'arrête là où commence le droit des enfants à n'être pas tels que d'autres ont voulu qu'ils soient. Au nom d'une éthique de l'espèce humaine, il convient aussi de ne pas hypothéquer le droit des générations futures à disposer d'elles-mêmes, de ne pas les assujettir aux décisions de celles d'aujourd'hui.

Que vont devenir les enfants conçus de la sorte ? L'établir est compliqué. Même les enquêtes sur des enfants nés d'AMP classique butent sur un obstacle majeur : le simple fait de les suivre sous prétexte que leur naissance n'est pas semblable aux autres pourrait les stigmatiser et créer *de novo* des troubles psychologiques. Aucune inquiétude particulière n'est cependant de mise, mais le succès des pratiques d'hier ne garantit en rien celui de celles de demain.

L'ectogenèse

Autre technique de procréation, dissociée de la sexualité, l'utérus artificiel ou ectogenèse, permettra, si on y parvient, aux femmes sans utérus de procréer. C'est le généticien britannique John B. S. Haldane qui invente ce concept, en 1923, pronostiquant qu'un jour serait mis au point le moyen de développer des embryons humains hors du corps des femmes, depuis la fécondation jusqu'à la naissance. Inspiré par ses travaux, son ami Aldous Huxley imagine en 1932, dans son livre *Le Meilleur des mondes* la machine à fabriquer des bébés. Haldane avait prédit que la première ectogenèse aurait lieu en 1951 en France. Il s'est trompé sur la date, mais a eu raison quant à l'évolution du débat. L'utérus artificiel n'est pas pour demain, bien que des chercheurs y travaillent. Le progrès ne galope pas à ce point que l'on sache promouvoir la croissance d'un embryon puis d'un fœtus dans un utérus artificiel capable d'assumer toutes les fonctions (nutrition, développement...) de l'utérus humain.

Actuellement, on n'est pas capable de poursuivre le développement normal des embryons en culture au-delà de quelques semaines. Quant aux enfants qui naissent à moins de vingt-deux semaines, ils ne sont pas viables. Quand bien même cette piste n'aboutirait pas, elle a son intérêt : il réside dans la controverse éthique qu'elle soulève. Une telle entreprise est-elle légitime ? Ce bouleversement que la science pourrait autoriser est-il forcément acceptable ou désirable d'un point de vue éthique ou social ? Surtout, quelles en seraient les conséquences chez les femmes ? Voilà un cas d'école passionnant.

Il revient à Henri Atlan dans son essai magistral, *L'Utérus artificiel*, d'avoir lancé le débat. Si ce projet se réalise, les hommes et les femmes se retrouvant dans l'incapacité de procréer ensemble pourront, en tant que donneurs de gamètes mâles et femelles, permettre la fécondation d'un enfant dont la croissance aura ensuite lieu hors du ventre de la femme. Les hommes et les femmes deviendraient égaux devant la reproduction de l'espèce. La procréation serait radicalement médicalisée. Au départ, on aura recours à cette méthode sur la base d'indications médicales – en alternative au recours à des mères porteuses, par exemple en cas d'impossibilités pathologiques de grossesse –, puis un certain nombre de femmes voudront l'utiliser en l'absence de toute pathologie.

N'est-ce pas un progrès décisif pour les femmes auxquelles les servitudes de la grossesse et de l'accouchement seront épargnées ? Les voilà qui échappent au congé de maternité qui freine leur carrière. Dorénavant, elles ne seront plus indispensables pour porter un enfant. Comme pour la contraception et l'avortement, l'ectogenèse s'inscrira dans le droit des femmes à disposer de leur corps. On voit mal comment une société démocratique pourra arrêter un tel processus : le prohiber reviendrait à interdire aux femmes la libre disposition de leur corps, à leur refuser le droit, pour celles qui le revendiqueraient, de s'exonérer des contraintes de la grossesse.

D'un autre côté, rappelons cette fière exclamation d'Hélène, un chercheur femme de mon laboratoire, « il n'empêche que c'est nous, les femmes, qui donnons la vie ». Aujourd'hui, nous l'avons vu, hommes et femmes peuvent faire la même chose, même la guerre. Pourtant, donner la vie se conjugue encore au féminin, et cela donne à nos épouses et à nos filles un pouvoir extraordinaire, que d'ailleurs beaucoup de messieurs vivent de plus en plus mal, hésitant quant à leur rôle, leur spécificité, leur utilité. Les dames gagneraient-elles vraiment au change en troquant ce pouvoir incroyable contre la libération du fardeau des gestations ? Il n'existe pas de réponse unique à une telle question, les femmes elles-mêmes se divisant sans doute. En tout cas, je puis témoigner que mes filles ne seraient pas partantes pour confier leurs gestations à une machine. L'une d'entre elles, enceinte de son premier enfant, m'informait avec enthousiasme de la progression de ce processus qui la fascinait, elle me décrivait les mouvements du fœtus. Après son accouchement elle me téléphona : « Mon pauvre papa, tu sais, c'est merveilleux, et je te plains, jamais tu ne connaîtras cela ! » Décontenancé, je lui répondis qu'en effet j'étais maintenant trop vieux...

Les gonades inutiles

Nous avons décrit la possibilité d'engendrer un petit sans mâle, les ovocytes d'une femelle produisant des gamètes capables de jouer le rôle de spermatozoïdes et de féconder les ovocytes standard d'une autre femelle. De plus en plus fort, annoncent les artistes de cirque ou de foire. Les scientifiques ou/et biologistes aiment, eux aussi, lancer de pareils défis. La nouvelle frontière consistera à s'affranchir totalement des gonades, ovaires et testicules. On sait, depuis 2006, transformer n'importe quel type de cellules, en particulier des fibroblastes de la peau, en cellules de type embryonnaire capables de se différencier elles-mêmes en tous les types de tissus, cérébral aussi bien que testiculaire et ovarien. Il faut pour cela introduire dans la cellule cutanée que l'on désire transformer trois ou quatre gènes particuliers. Il sera de la sorte sans doute possible, un jour, de produire à partir de la peau d'une ou de deux personnes, du même sexe ou de sexe différent, des pseudo-spermatozoïdes et pseudo-ovocytes, les premiers fécondant les seconds pour donner un embryon qui, chez une mère porteuse ou dans un utérus artificiel, se développera peut-être en un bébé.

Si les cellules initiales sont prélevées chez un ou des mâles, les descendants seront mâles ou femelles. En revanche, de la peau femelle on ne pourra aboutir qu'à des nouveau-nés de sexe féminin. Il est bien sûr fascinant de produire des spermatozoïdes à partir de cellules femelles et des ovocytes à partir de cellules mâles ; un vertige nous saisit, qui doit être dissipé pour aborder le dilemme éthique que poserait une telle pratique transposée dans notre espèce. Bien entendu, toutes les objections déjà soulevées à propos de l'acharnement procréatique s'appliquent ici, au centuple. Les risques d'anomalies du développement, de désordres variés à long terme, seraient immenses.

Mais, imaginons, comme dans le cas de l'ICSI (devenue une méthode classique de fécondation *in vitro*), qu'une pratique au départ hasardeuse et incontrôlée aboutisse à la démonstration de son innocuité pour l'enfant. Quel devrait être alors le sentiment moral porté sur une telle innovation ? C'est-à-dire sur une absolue désexualisation de la procréation. Un possible affranchissement de toutes les règles de la génération (la technique pourrait être appliquée à des cellules conservées de personnes décédées depuis très long-temps). Une porte ouverte à la production à façon d'êtres humains.

Sans doute, la seule application d'une telle technique à des cas particuliers d'infécondité ne justifierait pas que l'on s'engageât dans sa mise au point tant ses utilisations possibles menacent de façon radicale la singularité humaine des petits de l'homme, et de la sorte son humanité propre.

Gestation pour autrui

La gestation pour autrui, c'est la pratique de la mère porteuse, technique qui permet de porter un enfant en dehors de tout rapport charnel, à partir des ovocytes d'une autre femme. La procréation pour autrui se distingue de la gestation pour autrui. Dans le premier cas, la femme qui porte l'enfant est sa mère génétique ; dans le second cas, elle n'est que sa gestatrice, l'enfant ayant été conçu avec les gamètes du couple demandeur ou de tiers donneur. Cette technique d'insémination artificielle remet en cause une règle fondamentale du droit de filiation. En droit français, la mère est la femme qui accouche « *mater semper certa est* » (plutôt « *mater certissima, pater semper incertus* » ?). Si le père n'est pas toujours certain, la mère l'est.

En 1994, les lois de bioéthique ont interdit la pratique des mères porteuses, ce qui conduit nombre de couples à l'étranger (en Ukraine, au Canada, ou en Californie) pour échapper à cette interdiction. Malheureusement, une fois sur le territoire français, la filiation n'est pas reconnue, ces enfants deviennent des « sans papiers ».

Comme dans la majorité des situations, la controverse éthique porte sur l'intérêt de l'enfant à naître, le risque d'exploitation des femmes, la marchandisation des corps, l'atteinte à leur dignité. La gestation pour autrui est une situation qui implique la présence de trois, quatre, voire cinq acteurs. Il y a le couple, la mère porteuse avec laquelle on passe un contrat, un médecin, éventuellement une donneuse d'ovule, etc. La mère porteuse prend en principe l'engagement d'abandonner l'enfant à la naissance, ce qui n'est pas rien. Cela signifie qu'elle s'engage par contrat à n'être en la matière qu'une matrice, en aucun cas une mère. En d'autres termes, de tels contrats équivalent à des locations temporaires, ou au moins d'aliénation d'utérus, assortis de l'offre en général payante d'un service gestationnel.

Une fois encore, c'est en s'interrogeant sur la part réelle d'autonomie dont dispose la mère porteuse qu'on éclaire le débat. Comment imaginer que la démarche consistant à porter un enfant pour une autre femme (ou un couple d'homosexuels) puisse être toujours (souvent ?) un acte gratuit ? Les partisans d'une légalisation de cette gestation pour autrui proposent un encadrement des pratiques pour éviter que les femmes françaises ne partent à l'étranger. L'autoriser, disent-ils, c'est reconnaître à la femme la maîtrise de son corps. Ils ajoutent que le geste de la mère porteuse est un don, pas un abandon. La « gestatrice » sait – et c'est évidemment le plus important – que le bébé sera bien accueilli. Elle connaît les « parents d'intention » avec lesquels elle a des liens qui se poursuivent parfois après l'accouchement.

L'idée d'un prêt généreux de son utérus par une mère porteuse, souvent mise en avant, m'apparaît pourtant difficile à défendre. C'est le plus souvent un marché, rarement un don. Mettre ses capacités reproductives à la disposition d'autrui pose la question de la rémunération. Aux États-Unis, c'est une source de revenus non négligeable, puisque les contrats prévoient en moyenne de 10 000 à 70 000 dollars. Selon les enquêtes les plus récentes, dans 95 % des cas, ce sont des raisons économiques qui ont poussé les femmes à accepter.

Que faire si une femme s'éprend pendant sa grossesse de l'enfant qu'elle porte ? Elle est sensible à sa présence, elle s'émeut de le sentir bouger, elle s'y attache. Elle n'a pas le droit de l'aimer puisque, par contrat, elle doit le donner à sa naissance. Terrible situation ! Comment accepter que la femme soit réduite contractuellement à un « utérus sur pattes » pendant neuf mois, que le développement éventuel de son amour maternel devienne une faiblesse déviante équivalant à une rupture de contrat, le cas échéant sanctionné, dans tous les cas réprouvé ?

Il existe néanmoins, dans une petite minorité de cas, des exemples d'offre généreuse et solidaire à porter un enfant pour une sœur, une fille ou une amie chère. Il n'est pas question de disqualifier la valeur de tels actes. Cependant, nous sommes dans 95 % des situations devant un contrat commercial, le plus souvent motivé par l'état de nécessité de la gestatrice pour autrui. Il apparaît inhumain et méprisant pour les femmes de leur enjoindre par contrat de se limiter pendant une gestation à n'être qu'un utérus artificiel vivant, de ne pas s'éprendre du « fruit de leurs entrailles ».

Il convient par conséquent d'en rester à la règle selon laquelle la femme qui accouche d'un bébé est sans conteste la mère. En revanche, je ne serais pas opposé à ce que l'on facilitât, dans l'intérêt des enfants, leur adoption plénière après abandon par la mère gestatrice, y compris quant cette dernière vit à l'étranger, tout en refusant la validité d'un contrat de gestation pour autrui. Je puis même imaginer que l'on mette à l'étude des procédures exceptionnelles autorisant un transfert d'embryon, équivalent formel à un don, chez des mères gestatrices, indubitablement mères à moins qu'elles n'abandonnent les nouveau-nés qui pourront alors êtrc adoptés. Je me sais audacieux au yeux de certains – et bien timide à ceux d'autres – en avançant cette hypothèse, qui ne pourrait en toute éventualité s'appliquer qu'après décision de justice informée par un collège d'experts, médecins et psychologues.

La grossesse des femmes ménopausées

Le rêve de maternité très tardive peut, sur le plan technique, être exaucé depuis près d'une vingtaine d'années grâce à la procréation médicalement assistée

(PMA). Il suffit d'un don d'ovocyte, d'une éprouvette et d'un échantillon de sperme pour obtenir un embryon que l'on transfère ensuite dans l'utérus de la future mère ménopausée préparée à le recevoir par un traitement hormonal.

Quel est l'avenir de ces enfants mis au monde par des parents en âge d'être grands-parents voir arrière-grands-parents ? Cette interrogation est moins complexe que celle des risques encourus par la mère et par le bébé.

Une gestation chez une femme âgée comporte des risques. Les complications possibles des grossesses tardives sont nombreuses : hypertension artérielle, accidents cardio-vasculaires, toxémies gravidiques, diabète, mortalité maternelle et infantile... Pour le bébé à naître, ces complications obstétricales peuvent également être responsables d'un retard de croissance *in utero*, d'un très petit poids de naissance, d'un accouchement prématuré... Le médecin se doit de mettre en garde la future mère de tous les risques qu'elle encourt. La situation reste singulière. Alors que les jeunes gestatrices pour autrui abandonnent l'enfant à la naissance car, par contrat, il est considéré être celui de la génitrice donneuse d'ovules, la gestatrice ménopausée ne doute pas que, puisqu'elle porte cet enfant et s'apprête à en accoucher, elle en sera la mère. Pourtant, elles sont en général toutes deux enceintes d'un enfant qui n'est pas biologiquement le leur ; à une exception près, celle où la femme ménopausée a, plus jeune, fait congeler certains de ses ovocytes, se promettant d'en faire usage lorsque, sa carrière faite, elle en aurait le temps. Pour celle qui décide à un âge avancé d'avoir un enfant, c'est l'aboutissement d'un impératif de la société selon lequel il serait idéal qu'une femme commençât par se réaliser dans son exercice professionnel (c'est-à-dire, pendant sa période fertile) et eût ensuite réuni assez d'argent pour... se payer un embryon obtenu grâce aux ovocytes d'une femme jeune. Une société qui privilégie ce genre de solution est tout de même tombée sur la tête ! Il nous revient de lutter contre ce qui semble une dérive en aidant au maximum les femmes à se réaliser à la fois dans leur maternité et dans leur exercice professionnel. Le jour où on brisera le « plafond de verre » qui empêche les femmes d'accéder aux postes de responsabilité, elles n'hésiteront pas à devenir mères plus tôt.

Dans l'immédiat, les espoirs de maternité des quinquagénaires en mal d'enfant favorisent le développement d'un « *baby business* », ce qui est proprement regrettable. Cela dit, je comprends le désir d'enfant de ces femmes qui, à cinquante ans passés, sont actives, séduisantes et entreprenantes. Limiter aux hommes la possibilité d'une procréation tardive peut apparaître une injustice qu'il convient de réparer. La légitimité du désir n'induit cependant pas l'obligation pour la société de le satisfaire, cela mérite débat. Je souhaiterais en tout état de cause que notre société eût permis à ces femmes, si elles l'avaient désiré, d'être mères auparavant.

Le clonage reproductif

Le clonage reproductif, qui a pour objectif de faire naître des enfants, verra sans doute le jour au XXIe siècle. Pour les uns, c'est la solution ultime en cas de stérilité avérée. Si toutes les méthodes connues se révèlent

151

inefficaces, il permettrait à un individu ou à des couples irrémédiablement stériles de se reproduire.

Qui s'oppose au clonage reproductif ? Ceux qui proclament au nom de la religion qu'il est interdit à l'homme de s'arroger les pouvoirs de Dieu, ceux qui se réclament de la psychanalyse, les anthropologues qui s'interrogent sur le bouleversement des structures de parenté sont autant de détracteurs.

Quoique moi-même adversaire déterminé du recours au clonage, aucun de leurs arguments ne m'a jamais convaincu. Les conséquences de la technique ne seraient pas si bouleversantes sur le plan symbolique. Une partie des situations dont on redoute le caractère déstabilisant parce qu'il mettrait en cause des principes fondamentaux de la personnalité humaine sont devenues banales. Les facultés d'adaptation des enfants au sein de familles recomposées homo- et hétérosexuelles surprennent de plus en plus. Le débat se situe selon moi ailleurs.

La question essentielle m'apparaît être celle du processus d'autonomisation des enfants. Comme je l'ai déjà noté à propos des tests génétiques en général, du choix du sexe, il faut fixer les limites du pouvoir de l'homme sur l'homme, lequel commence par celui du géniteur sur sa progéniture. Grâce à la médecine, ce pouvoir s'est accru, ce qui est une bonne chose en soi. Un couple jadis stérile peut aujourd'hui procréer. Grâce à la contraception, un couple fertile aura le plus souvent un enfant s'il le désire. Les parents, par l'éducation qu'ils donnent, par les valeurs qu'ils transmettent influencent leur progéniture, la façonnent et la modèlent. L'un des recours de l'enfant pour asseoir malgré tout son autonomisation psychologique réside en son indépendance biologique. Du fait de sa singularité génétique aléatoire, il échappe pour une part à ses parents. Quand ils se sont unis, seul le hasard a joué dans l'échantillon précis des gènes parentaux contenus dans l'ovule qui a été produit et le spermatozoïde qui l'a fécondé. Les géniteurs n'ont pas été en mesure de décider des caractéristiques du bébé à naître et l'on sait à quel point chaque enfant, même dans une fratrie, est différent. Évitons que les parents prennent le pouvoir sur les caractéristiques biologiques (couleur des yeux, taille...) de leur enfant.

Le hasard est protecteur, et mieux vaut injurier le hasard que d'accuser ses parents ou quiconque d'avoir décidé de ses caractéristiques. Le plus important, c'est de préserver à tout prix ce périmètre d'indétermination favorable à l'autonomisation. Or, avec le clonage, on a affaire à un enfant « prédessiné », prédéterminé. Grâce à un droit nouveau qui autoriserait le clonage, les géniteurs imposeront à leur descendant, un sexe, la couleur de ses yeux et de ses cheveux, sa taille et même sans doute une partie de son caractère.

Au nom du respect de la réciprocité, personne ne devrait dépendre entièrement, ne serait-ce que dans son corps, de la volonté de quiconque. On sait qu'un transsexuel, qui vit dans la douleur de supporter un sexe imposé par la nature alors qu'il se pense de l'autre sexe, recourt à toutes sortes de traitements hormonaux ou chirurgicaux pour en changer (voir chapitre 2, page 91). En cas de clonage, cette question apparaît sous un jour cruel. S'il vient à apprendre que son état a été imposé par un tiers – un biologiste, ou ses propres parents –, n'est-il pas en droit de poursuivre ceux qui se sont arrogé le pouvoir démesuré de lui imposer le sexe de leur choix, ce sexe qui lui fait horreur ? À situation extrême, psychologie extrême !

L'enfant cloné pourrait être partagé entre le désir de se conformer à celui dont il est une copie génétique ou au contraire de le rejeter. On imagine sans mal les dégâts psychologiques qui pourraient en découler. Un tel scénario n'est pas sûr, objecteront certains, vous avez-vous-même insisté sur l'extraordinaire faculté de résilience des enfants, sur leur adaptabilité à des situations baroques. Certes, mais en prendre le risque est-il légitime ? La possibilité de s'approprier d'autorité le corps d'un autre est contraire au principe de réciprocité. Dans une autre configuration, cela s'appelle un viol. La personne clonée sera justifiée à reprocher au cloneur d'avoir violé son intimité biologique, c'est-à-dire ses droits. Comme un enfant ou une femme violentés, elle pourra à la fois revendiquer sa pleine dignité et poursuivre le cloneur-agresseur pour y avoir attenté. En définitive, l'attitude éthique apparaît se décliner en trois points : tout faire pour éviter le clonage d'êtres humains ; quand, malgré tout, cela aura été réalisé dans la transgression, accueillir les enfants ainsi produits, des victimes ; poursuivre les délinquants.

Les enfants-médicaments

Le bébé-médicament désigne un enfant conçu dans le but de guérir un frère ou une sœur aînés souffrant d'une maladie génétique familiale grâce aux cellules souches prélevées dans le sang placentaire du cordon ombilical recueilli à sa naissance. L'expression « enfant-médicament », bien qu'impropre, s'est répandue depuis l'affaire de la petite Molly en 2000, qui a bouleversé l'opinion. Cette petite fille, premier enfant d'un couple américain, est venue au monde affligée d'une anémie de Fanconi, maladie génétique grave (une douzaine de gènes différents sont impliqués selon les familles), qui entraîne des anomalies du système hématopoïétique (c'est-à-dire de la production des cellules sanguines), de la peau et des organes. Pour la combattre, on pratique des transfusions à répétition sans oublier qu'à terme la maladie ainsi traitée est mortelle (généralement avant l'âge de dix ans). Le seul traitement curateur connu est la greffe de cellules souches hématopoïétiques (cellules de moelle osseuse donnant entre autres les globules rouges), prélevées sur un donneur compatible. Les parents de Molly ont voulu, au moyen d'une fécondation *in vitro* et d'un diagnostic préimplantatoire, mettre au monde un autre enfant, mais indemne.

Après un échec, une nouvelle tentative aboutit à la conception d'un grand nombre d'embryons, ouvrant la possibilité de sélectionner ceux non affectés par la mutation et, de plus, susceptibles d'aboutir à la naissance d'un donneur compatible avec le système immunitaire de Molly. Yuri Verlinsky, directeur du département de génétique et procréation de l'université de Chicago, est parvenu à écarter tous les embryons porteurs du mauvais gène tout en sélectionnant Adam dont le système HLA (*Human leucocyte antigens*) était compatible avec celui de sa sœur. À sa naissance, le placenta a été prélevé. Cinquante à quatre-vingts millilitres de sang de cordon extraits, des cellules souches ont été isolées puis greffées à Molly qui, depuis, a connu une rémission complète.

C'est un exemple magnifique de guérison qui soulève la plupart des questions de principe. Peut-on faire naître un enfant pour en soigner un autre ? L'enfant-médicament est-il légitime ? On comprend l'intérêt de la greffe pour Molly. On ne doute pas de l'amour de ses parents et de leur inquiétude. Reste qu'une telle pratique soulève des enjeux éthiques réels et des objections d'ordre psychologique qu'il est impensable de passer sous silence. Cette technique semble en effet contredire le principe selon lequel l'enfant doit venir au monde d'abord pour lui-même. Ici, sa conception est aussi souhaitée dans le but de guérir. Adam a été mis au monde avec l'espoir de sauver son aînée. En réalité, un enfant est toujours à la fois le moyen d'un désir, un projet et une fin en soi. Combien de couples font un enfant pour tenter de se « rabibocher » ? Que penser des familles royales qui font des héritiers pour perpétuer la lignée ? Comment juger ces nationalistes qui font plus d'enfants pour défendre la patrie ? Ces exemples ne disqualifient en rien le recours à l'enfant-médicament. Les parents d'Adam et de Molly voulaient un autre enfant indemne, d'où le recours au diagnostic préimplantatoire après fécondation *in vitro*. Ils ont eu aussi la possibilité de garantir que cet enfant désiré soit une chance pour Molly. Enfant sujet et objet, il n'y a ici rien de bien différent des situations habituelles.

L'enjeu majeur reste le danger de chosification de l'être humain, au-delà du cas précis d'Adam et de Molly, la procréation humaine détournée au profit du projet de création d'un être humain dont la « mission » principale serait d'être un médicament. Projet alors porteur d'une aliénation puisque le cadet ainsi conçu n'a d'autre choix que d'endosser le statut de réservoir de cellules pour son aîné malade, soumis à un projet prédéterminé par autrui. L'utilitarisme est poussé ici à l'extrême, réduisant une personne humaine à un objet jugé à l'aune de son utilité technique. Le bébé-médicament n'est-il pas finalement un « bébé-instrument » ? Le grand principe kantien : « Agis de telle sorte que tu traites l'humanité aussi bien dans ta personne que dans la personne de tout autre, toujours et en même temps comme une fin, et jamais simplement comme un moyen » serait bien sûr bafoué par la conception d'un être à la seule fin de permettre d'en traiter un autre.

Au total est-ce moral ou immoral ? Membre du Conseil consultatif national d'éthique, j'ai été amené, après m'être prononcé en faveur de la procédure utilisée dans le cas de Molly, à réfléchir à un autre cas qui montre combien cette possibilité offerte par le progrès médical est source de complexité. On va voir que deux logiques mènent à des analyses toutes différentes. Sachant que s'opposent ici la revendication au droit de satisfaire les désirs individuels afin d'atténuer une détresse et l'exigence de respecter les principes fondateurs des rapports humains, ceux de l'égalité et de l'autonomie des personnes.

Le cas, proche de celui de Molly, s'est présenté en France avec la demande des parents de Florian. Leur fils est en rémission d'une leucémie aiguë, une forme de cancer de la moelle et ils craignent une rechute. Ils ont déjà quatre enfants et n'ont jamais fait part de leur désir d'en vouloir d'autres. Par ailleurs, ils n'ont aucune raison de recourir à une fécondation *in vitro* car il ne s'agit pas ici d'éviter par diagnostic préimplantatoire la transmission d'une maladie génétique sévère. On se doute que la seule raison de vouloir un enfant de plus vient de l'espoir de disposer d'une chance thérapeutique supplémentaire pour Florian. Ce type de pratique n'est pas rare : certains parents d'enfants leucémiques se dépêchent de refaire un enfant par les moyens les plus naturels du monde en espérant qu'il constituera un donneur compatible. En effet, la greffe de cellules souches hématopoïétiques, éventuellement issues du sang placentaire (c'est-à-dire « de cordon »), constitue un traitement privilégié des rechutes de leucémie. Le recours à la fécondation *in vitro* est lié ici à la possibilité de choisir parmi les embryons et d'isoler des donneurs potentiels pour Florian. Cette demande adressée directement au président de la République, Jacques Chirac à l'époque, a été transmise au Comité consultatif national d'éthique.

Dans le cas présent, la naissance de cet enfant se justifie comme moyen de guérir Florian s'il rechute. La seule raison pour laquelle les parents désirent un autre enfant semble bien être de guérir l'aîné, au cas où. La famille est déjà nombreuse et il ne semblait pas question de l'agrandir encore. Cet enfant ne naîtrait au total que pour soigner son frère. Que répondre ? Le risque d'échec des greffes est loin d'être nul. Pis, on peut redouter l'apparition du mécanisme de la réaction dite du « greffon contre l'hôte », où les cellules du donneur détruisent le receveur de l'intérieur. Cet enfant dont on attend qu'il sauve son frère pourrait le tuer ! La réflexion menée par le CCNE s'est fondée sur les mêmes éléments que dans le cas de la petite Molly et, pourtant, elle a abouti à une réponse négative.

On demande ici à un médecin et à l'État d'intervenir, d'autoriser et de mettre en œuvre la procédure du diagnostic préimplantatoire et du tri d'embryons dans le but de sélectionner un embryon compatible. Or les pouvoirs publics et les professionnels ne sont pas seulement des moyens de réaliser le désir des parents, même s'ils le comprennent. Ils se doivent également de soupeser les intérêts des différents partenaires de ce drame. On peut considérer que, même s'il y a sans doute d'autres solutions médicales, l'intérêt de Florian serait de disposer d'un frère ou d'une sœur compatibles. Et l'on peut être sensible à la détresse des parents. Pour autant, on ne peut pas méconnaître la situation éventuelle de l'enfant à naître. Quel sera le statut de cet enfant dont nous suspectons que la seule raison d'être est de soigner son frère, s'il échouait dans cette tâche, voire tuait son aîné ?

Le CCNE a considéré qu'on ne pouvait pas conseiller au président de la République d'autoriser cette pratique dans ce cas précis. Par ailleurs, il est essentiel de ne pas succomber à une généralisation d'une pratique de la fécondation *in vitro* et du tri d'embryons dans le seul intérêt d'un tiers. Il ne s'agit pas d'un avis scientifique mais d'une décision prise après un débat mené de la manière la plus rationnelle qui soit. L'avantage d'un tel débat est qu'il offre à autrui, aux contradicteurs éventuels, de par la rationalité qui le fonde, un argumentaire dont ils peuvent se saisir. Ici, tout en reconnaissant la détresse des parents, la réponse négative n'a pas été inhumaine, elle a arbitré en faveur de l'enfant à naître, et témoigné aussi de ce que la morale n'est pas soluble dans la science.

Le statut de l'embryon

Le statut de l'embryon et du fœtus pose des questions quasi insolubles (et polémiques) parce qu'il s'agit d'un débat religieux et peu rationnel. D'où ma réticence à me focaliser sur cette question, tout en sachant qu'elle est au centre de la plupart des débats éthiques, ce que je regrette.

Toutes les religions s'interrogent sur le début de l'« animation de l'embryon ». Discutée par les Grecs de la haute époque, elle agite les Églises chrétiennes depuis les origines du christianisme jusqu'à aujourd'hui. À une époque, on a considéré que l'âme d'origine divine était insufflée dans l'embryon lors de l'éjaculation. À une autre, l'âme arrive avec le souffle et la respiration. C'est là la position à laquelle s'arrête saint Augustin après avoir beaucoup douté. Ce qui le gêne dans le principe de l'animation immédiate de l'embryon recevant son âme de Dieu, c'est la question du péché originel présent chez chacun. Si Dieu créait une nouvelle âme pour chaque être, elle serait vierge et pure, dépourvue de tout péché, ce qui est impossible. « Traducianiste », il en vient à la conclusion que l'âme se développe en même temps que le corps, qui lui-même hérite de la malédiction originelle par l'intermédiaire des géniteurs.

Saint Thomas reprend à son compte la vision d'Aristote selon lequel, succédant aux âmes végétatives et nutritives, l'âme intellective apparaît dans l'embryon au quarantième jour chez les garçons et au quatre-vingt dixième chez les filles. Il se distingue cependant de la vision « traducianiste » d'Aristote et de saint Augustin et

160

penche pour une néocréation *de novo* des âmes successives par Dieu : partisan de l'animation médiate (c'est-à-dire différée), il est « créatianiste », et non pas traducianiste, dissociant le développement de l'embryon du processus d'animation. Après saint Thomas, le créatianisme n'est plus remis en question, mais les débats théologiques quant à l'animation divine de l'embryon se poursuivent entre les tenants de l'animation médiate ou immédiate. Précisons que pour les juifs et les musulmans, le débat est moins houleux. L'avortement est interdit, mais on considère qu'il n'y a pas d'humanisation immédiate de l'embryon.

La position de l'Église, définie en 1869 sous Pie IX, en revient à une conception d'animation immédiate. Aujourd'hui, la plupart des théologiens ont un discours plus prudent : « Nous ne savons ni donner une définition de l'embryon ni préciser quand l'âme vient au corps. Le doute doit profiter à l'embryon, considérons qu'il est une personne humaine dès sa conception. » L'Église orthodoxe quant à elle est restée d'une absolue fidélité à la conception créatianiste et d'animation immédiate des Pères de Cappadoce du IVe siècle : il n'y a pas place au doute, l'embryon est une personne humaine dès la conception, c'est-à-dire la fécondation de l'ovocyte par un spermatozoïde et la fusion des « *pronucléi* » mâles et femelles. Ce qu'il faut retenir de ce bref rappel des hésitations théologiques concernant l'embryon, c'est qu'elles invalident toute position dogmatique à ce sujet : les dogmes ont tant varié, ils sont si différents d'une religion à l'autre !

Les agnostiques quant à eux s'interrogent sur les relations entre la personne, dont la valeur et son respect sont au centre des injonctions éthiques, et la cellule-œuf originelle dont elle est issue. En d'autres termes, quelle part du respect dû à la personne l'est aussi à la cellule unique ou au « grumeau » de cellules qu'est l'embryon ?

Où placer l'embryon ? Le droit civil français ne connaît que deux catégories juridiques : les choses et les personnes. Les premières sont objets de droit, les deuxièmes sujets de droit. L'embryon n'est ni une chose ni une personne. Si l'embryon n'a pas de statut, il n'en bénéficie pas moins d'une protection juridique. Ainsi l'article 16 du code civil, repris en frontispice des lois de bioéthique, stipule que « la loi assure la primauté de la personne, interdit toute atteinte à la dignité de celle-ci et garantit le respect de l'être humain dès le commencement de la vie ».

Personne n'arrive à s'accorder sur une définition de l'embryon dans la loi. Les Britanniques, dans une optique utilitariste, ont fixé une limite en deçà de laquelle l'expérimentation sur l'embryon est pratiquement libre. Ce seuil de quatorze jours correspond à l'apparition de la ligne primitive, ébauche du système nerveux qui permettra ensuite de ressentir la douleur. C'est aussi le moment à partir duquel l'embryon ne peut plus se subdiviser pour donner des jumeaux, autrement dit où il acquiert son individualité. Choix assez arbitraire, ne découlant pas à proprement parler d'une pensée morale, mais, d'après ceux qui le soutiennent, il faut bien choisir une limite. D'autres, pour reconnaître la singularité de l'embryon, retiennent le moment où les liens effectifs entre la mère et l'embryon se mettent en place, l'implantation dans la muqueuse utérine, l'éclosion de l'embryon de sa membrane initiale au septième jour, ou encore, de façon plus radicale, la seule finalité. Selon cette dernière conception, un zygote résultant de la fécondation d'un ovocyte par un spermatozoïde serait un embryon s'il est conçu dans une finalité parentale, un banal matériel expérimental dans les autres cas.

À partir de quand une vie est-elle humaine ? Quand l'âme vient-elle à l'embryon ? Un biologiste se trouve dans l'incapacité de répondre à ce type d'interrogation. Il n'existe aucune définition génétique, cellulaire... de l'âme !

Il y a une autre manière de formuler la question : cet embryon est humain, et non pas simien ou murin. Dans un certain nombre de cas, son développement donnera naissance à une personne. Ce que peut expliquer le biologiste, c'est qu'il y a fécondation et formation de l'embryon, implantation dans la paroi utérine à huit ou neuf jours puis évolution par toute une série de stades, survenue des battements de cœur, des premiers mouvements, etc., enfin viabilité du fœtus pour aboutir à un nouveau-né qui sera considéré comme une personne.

Le Comité national d'éthique qui définit l'embryon comme « une personne humaine potentielle » ouvre la voie. Cette potentialité fonde, à mes yeux, la singularité de l'embryon. À partir de quand, au cours de son évolution, un embryon a-t-il le droit de bénéficier du respect que l'on doit à la dignité de la personne qu'il pourrait devenir ? S'enfermer dans des définitions biologiques ou de limites chronologiques n'aboutit à rien. Impossible de répondre. À partir de quand l'embryon doit-il être considéré comme digne d'être protégé ? Une fois encore, aucune considération biologique ne pourra dire ce qu'est cette dignité.

Il est essentiel d'éviter de confondre l'issue d'un processus avec la nature de toutes les phases qu'il comporte et d'assimiler les prémices et la fin. L'embryon doit sa singularité à ce que, s'il se développe, ce sera en un petit d'homme, en une personne. Pour autant, il n'est pas une personne. À l'inverse, la magnificence d'une fin retentit toujours, lorsqu'on la connaît, sur la considération en laquelle ses prémices sont tenues. Imaginons deux ou trois coups de pinceaux sans signification. Mais, grâce à une capacité de prescience, on sait que dans quelques mois ce tableau deviendra *La Jeune Fille à la perle* de Vermeer. Nous n'aurons pas la même considération pour cette ébauche que si c'était celle, en apparence similaire, d'un barbouillage quelconque. Le début d'un processus extraordinaire ne peut être d'une totale banalité pour quiconque connaît sa possible issue. Il me semble légitime de dire que, dès lors que nous savons qu'un amas de cellules deviendra un petit enfant, il acquiert une « singularité admirable », à ne pas confondre avec celle d'un embryon de crapaud ou de souriceau.

Pour ma part, un embryon n'est pas un objet banal, c'est un début possible d'une personne, et non un moyen de réaliser quelque chose n'ayant plus rien à voir avec l'avènement d'une vie humaine. Ce n'est pas un matériel expérimental comme un autre. La création d'embryons humains en dehors de tout projet parental, uniquement pour la recherche, ou dans le but de préparer du matériel thérapeutique, ne me paraît pas opportune.

Ainsi, la loi devrait autoriser à mener des recherches sur l'embryon, mais dans des conditions encadrées particulières. Il sera impératif d'indiquer qu'on se garde de fabriquer des embryons sans finalité procréative, en particulier dans un seul but de recherche. Pour autant, on ne s'interdit pas cette recherche, car même pour les orthodoxes pour qui l'embryon est une personne dès la conception, ce serait contradictoire avec le fait que la médecine progresse grâce à des recherches conduites à tous les âges de la vie. De surcroît, on sait qu'environ sept ou huit embryons sur dix, qu'ils soient créés au cours de l'étreinte amoureuse ou *in vitro*, ne donneront jamais d'enfants. Expulsés après un léger retard de règles ou gardés dans l'azote liquide, ils sont voués à disparaître. Aucune autorité ecclésiastique ne m'a convaincu que laisser ces embryons mourir dans l'azote liquide, ou bien les détruire sans autre forme de procès, serait plus éthique que de les intégrer à une recherche destinée à lutter contre la stérilité ou à faire progresser la recherche sur les cellules souches et la médecine régénératrice. En définitive, si je n'accepte pas la négation de toute singularité de l'embryon, je conteste aussi des attitudes irrationnelles selon lesquelles le seul âge de la vie humaine exclu de la recherche serait l'âge embryonnaire. Avec l'assentiment des géniteurs et un avis favorable d'une commission *ad hoc* (la commission de biomédecine), une recherche devrait être autorisée sur les embryons surnuméraires.

Obtenus après une assistance médicale à la procréation pour infertilité, mais non utilisés d'emblée, ces embryons sont conservés dans l'azote liquide. Une telle pratique est justifiée car, en cas d'échec d'une première tentative, cela permet de transférer chez la candidate à la maternité des embryons décongelés, sans reprendre la procédure à zéro. Cependant, le succès est parfois d'emblée au rendez-vous. D'autres fois, le couple abandonne son projet (séparation, décès, lassitude...).

Des dizaines de milliers d'embryons surnuméraires sont de ce fait conservés en France dans les containers d'azote liquide des centres d'assistance médicale à la pro-création.

L'avortement

Le débat concernant l'avortement n'a jamais cessé. Il est intense et reste violent dans certains pays comme les États-Unis, rappelant ce qu'il était en France, lorsque, après l'élection du président Giscard d'Estaing en 1974, la loi sur l'interruption volontaire et l'interruption médicale de grossesse fut présentée et défendue au Parlement par Simone Veil. Ici, la ligne de fracture dans l'opinion est pour l'essentiel religieuse, l'immense majorité des religions, dont celles dérivées de la Bible, interdisant de façon radicale l'avortement assimilé au meurtre d'une personne sans défense. Pour ma part, mon agnosticisme ancien rejoignant l'incroyance de très nombreux citoyens me rendait peu sensible à cette loi religieuse qui ne me concernait pas. Pour autant, la « singularité admirable » de l'embryon m'empêche de banaliser cet acte. Le fœtus dont on interrompt le développement à l'occasion d'un avortement volontaire pour raisons personnelles ou médicales n'est pas un déchet opératoire banal, comme une tumeur ou une vésicule biliaire dont on fait l'exérèse. Considérer, comme les féministes, que l'avortement est un droit au nom de la libre disposition par les femmes de leur corps ne me convainc guère. « Notre corps nous appartient » est un slogan des militantes féministes qui a porté ses fruits, et la loi de 1975 lui doit beaucoup. Reste que l'embryon ne se réduit pas entièrement à la femme qui le porte. Il n'empêche que la dépénalisation de l'avortement est un réel progrès et qu'il convient à tout prix d'éviter un retour arrière dont la menace n'est pas totalement conjurée.

La loi Veil du 17 janvier 1975, véritable engagement de la société envers les femmes, ne nie pas la valeur de l'embryon et du fœtus, c'est une réponse à des conséquences dramatiques liées aux avortements clandestins. Jeune interne des hôpitaux dans le service de réanimation où je travaillais, j'ai connu nombre de cas de septicémie *post abortum*, l'utérus des femmes dont l'avortement avait été pratiqué avec pose d'une sonde ayant été surinfecté par des bactéries. Plusieurs étaient atteintes d'anuries, certaines en sont mortes malgré les séances de dialyse rénale. Ces femmes étaient en général conscientes des risques qu'elles couraient. Aucune d'entre elles n'envisageait de mener à terme sa grossesse, la décision était arrêtée. Comment hésiter devant leur demande ? Sauver au moins la vie de la mère, c'est le minimum à offrir. La dimension « utilitariste » de la médecine joue à plein en se donnant les moyens de faire le moins de mal possible. Il n'y a pas lieu de se demander si l'acte effectué est bon en soi. L'avortement ne sera jamais un acte thérapeutique (ce terme étant à l'évidence malvenu) anodin. Il s'agit en fait d'un geste d'assistance à femme en danger. Cette posture pragmatique n'est pas contradictoire avec la singularité de l'embryon. Je refuse l'absence totale de considération pour lui, vois l'élimination d'un fœtus comme un échec, mais bien entendu l'assume lorsque c'est là le moyen de préserver une femme pour qui la seule alternative n'est pas entre la poursuite et l'interruption de la grossesse mais entre un avortement irrémédiablement décidé, mettant ou ne mettant pas sa propre vie en danger. Au moins, sauvons, la mère !

Au cours d'un débat avec la Cour de cassation, on m'a demandé mon avis sur la qualification juridique d'un acte commis au détriment d'une femme enceinte aboutissant à la perte de l'enfant. Il existe un fort courant de pensée qui propose de créer un délit de « fœticide », une sorte d'« homicide involontaire » contre un fœtus tué avant que d'être né ». Pour ma part, l'essentiel est de faire le moindre mal possible aux êtres réels (femme enceinte, famille...). On peut imaginer une sanction aggravée pour celui qui provoque un avortement, compte tenu de la nature de la relation entre la future maman et le fœtus qu'elle porte, qu'elle sent bouger dans son ventre, qu'elle a vu lors d'une ou plusieurs échographies, qu'elle aime déjà. On conçoit que la réparation pour coups et blessures, vu le préjudice, soit alourdie.

En revanche, créer le délit de fœticide pose un réel problème. C'est un danger pour les femmes elles-mêmes. Imaginons un couple qui va mal, la femme se comporte de façon imprudente, elle monte à cheval au septième mois de grossesse par exemple, ce qui entraîne la perte de son bébé : le mari ou la belle-famille ne risquent-ils pas de l'accuser de fœticide par imprudence ? Quand on a à cœur d'assurer la protection de l'autre, il faut penser à son intérêt et s'efforcer que la loi apporte le maximum de protection pour le plus grand nombre. Il s'agit d'accepter l'idée qu'elle comportera par la force des choses des limites arbitraires. Comment protéger un fœtus avant sa naissance ? Le mieux serait d'en rester à la fiction selon laquelle il n'est pas possible d'être tué avant d'être né. L'homicide ne peut être perpétué qu'à partir de la naissance. Aucune urgence à préciser le statut du fœtus et de l'assimiler à une personne ! En revanche, grande doit être notre vigilance tant qu'il existe des opposants actifs à l'IVG qui bataillent pour revenir sur la dépénalisation de l'avortement.

À ce titre, mon enthousiasme est des plus limités en ce qui concerne la décision de la Cour de cassation, en 2008, d'inscrire à l'état civil non seulement les enfants mort-nés mais même les fœtus non viables expulsés avant vingt-deux semaines de grossesse. Certes, je suis sensible à la détresse des parents qui ont à faire le deuil d'un enfant désiré et attendu, et sont attachés à ce qu'il en reste une trace ailleurs que dans leur mémoire. Pour autant, il est d'autres drames personnels ou familiaux dont on doit cicatriser sans l'aide de la puissance publique. Donner une existence légale, presque un état civil avant la naissance et sans préjudice du stade de développement est sans aucun doute un pas vers la reconnaissance d'un délit d'homicide prénatal, ou au moins de fœticide, et en cela une épée de Damoclès sur la loi de 1975 et l'IVG.

La loi Veil comporte en réalité deux parties distinctes : la première, dont nous venons de parler, traite de l'interruption volontaire, possible avant la dixième semaine de grossesse et médicalisée. La seconde aborde la question de l'interruption médicale de grossesse dans le cas où un diagnostic prénatal permet de prévoir que l'enfant à naître sera atteint d'une maladie ou d'un handicap d'une particulière gravité et incurable.

Le débat en 1974 et 1975 avait fait surgir trois thèses. La première brandie par le mouvement *pro-life*, pour qui toute vie est sacrée, et dont il revient à Dieu seul d'en faire cesser le cours. Ensuite, il y avait les partisans d'un « eugénisme républicain », pour qui la naissance d'un enfant gravement malformé était un échec de la science. Il était de la responsabilité de la société de se donner les moyens de l'éviter grâce à des diagnostics prénatals aboutissant à une interruption de grossesse en cas d'anomalie sévère. Les parlementaires choisirent une autre voie. Dans la situation tragique d'une femme apprenant la malformation du bébé qu'elle porte, il n'existe pas de bonne solution. Personne cependant n'est plus justifié à décider ce qu'il convient de faire que le couple, et en particulier la femme qui doit être informée et faire alors connaître son choix éclairé en fonction de ce qu'elle ressent être son devoir, selon ses critères, par exemple ses convictions religieuses. On a abouti à un texte qui reste à mes yeux d'une grande valeur morale, politique et démocratique. C'est une authentique loi de responsabilité et de liberté. Le législateur a choisi de prendre en considération la femme concernée au premier chef et « dûment informée », exprimant alors librement ce qui semble être de sa responsabilité et qu'elle demande aux médecins de mette en œuvre.

La fécondation et gestation après la mort du conjoint

La fécondation *in vitro* et le transfert d'embryon *post mortem* ne sont pas autorisés, y compris quand le membre du couple décédé a manifesté sans équivoque sa volonté de recourir à l'assistance médicale à la procréation. Cette interdiction a été justifiée par le respect dû à l'enfant parce qu'elle entraîne un bouleversement du droit de la filiation et des successions. Toutefois, cette interdiction apparaît sévère pour le membre survivant qui peut d'ailleurs consentir au don de ses embryons en vue d'un accueil par un autre couple. Il convient de traiter différemment la situation du transfert d'embryon et celle de la fécondation *post mortem*.

Dans la première, avant la mort de l'homme, le couple a demandé une assistance médicale à la procréation. Après une FIV, des embryons ont été congelés et conservés. L'homme décède, la femme demande qu'on décongèle les embryons, car elle veut un enfant de cet homme qu'elle continue d'aimer. Que répondre ? Il convient de s'assurer que cette personne endeuillée, submergée par l'émotion, ne se précipite pas dans sa décision. Un délai d'au moins une année, doublé d'une aide psychologique à la mère, apparaît raisonnable avant la prise de toute décision. Il faut permettre à cette femme de réfléchir, de s'interroger en particulier sur la possibilité qu'il y aura pour elle de rencontrer un autre homme, plus tard, de lui donner un enfant. Ne serait-il pas préférable pour lui de ne pas naître orphelin de père ?

Reste qu'après discussion, si la femme persiste, comment la société pourrait-elle s'opposer à sa demande ? Ces deux personnes, l'homme comme la femme, avaient un projet parental pour leurs embryons, et la société n'a aucune raison de se les approprier, ce n'est pas un bien qu'elle pourrait « socialiser ». Certes, ce n'est pas non plus un « bien légué » par succession à la survivante. Pour autant, personne n'est plus justifié qu'elle à faire *in fine* valoir son sentiment quant à l'avenir de ces embryons qui procèdent pour moitié d'elle-même, et pour l'autre de son compagnon défunt.

En revanche, la seconde situation, celle de l'insémination *post mortem* est moins claire. Un homme atteint d'un cancer et traité par chimiothérapie, voire subissant une exérèse pour cancer bilatéral du testicule, prélève son sperme et le fait congeler avant que d'entreprendre le traitement. En effet, il s'agit là d'une précaution de routine laissant aux hommes la possibilité de procréer après leur guérison, dans le cas où la thérapeutique aurait gravement altéré leur fécondité. Personne ne sait en général, car la situation n'a pas été évoquée, quelle eût été la position du malade en ce qui concerne une fécondation de sa compagne s'il venait à mourir. Son assentiment à une telle utilisation est loin d'aller de soi. Dans ces cas, il est bien difficile d'admettre que la conjointe hérite, parmi les biens de son compagnon, de son sperme, pour l'usage qu'elle désire en faire. L'utilisation d'un sperme à des fins de fécondation n'est pas possible sans le consentement du donneur. Il n'existe ni droit à « nationalisation », ni patrimonialité sur les éléments du corps.

Au total, il m'apparaît ici sain, au contraire de la situation de transfert *post mortem* d'embryon, de ne pas modifier la loi qui interdit la pratique. Ce n'est que dans le cas, qui n'a pas encore été observé, où le malade, consentirait – voire demanderait – explicitement que son sperme fût utilisé pour féconder sa compagne, même s'il venait à mourir, que certaines des objections précédentes tomberaient. Cependant, même alors, il conviendrait d'agir avec la plus extrême prudence. En effet, la fidélité aux dernières volontés d'un défunt a juridiquement des limites. Sont concernés les biens acquis, et non des projets à entreprendre. Certes, ni l'embryon ni le sperme ne sont des biens, cependant le premier existe déjà dans la première situation évoquée, alors que, dans la seconde, il reste à créer.

5

Autonomie, liberté
et déterminisme génétique

La génétique
et les brigands de l'idéologie

Le principal danger qui guette la génétique, c'est le hold-up que tentent en permanence des brigands de l'idéologie et partisans de la stigmatisation de l'autre. En un mot, le scientifique se pose des questions dont il ignore les réponses, alors que l'idéologue connaît à l'avance les réponses aux questions posées. La dérive vers une société « biologisée » est un risque non négligeable qui ne date pas d'aujourd'hui. La récupération idéologique de découvertes scientifiques a donné naissance dans le passé au darwinisme social, à la sociobiologie et a constitué un puissant stimulant du racisme. Rappelons à titre d'exemple cette obsession du lignage qui traverse l'histoire des sociétés, en particulier de la France. On classe d'un côté les « bons » lignages comme ceux de l'aristocratie (avoir « le sang bleu »), de l'autre côté les « mauvais » appartenant à des classes ou ethnies jugées « inférieures ». À nous d'empêcher l'utilisation de la génétique à des fins idéologiques, aggravant les inégalités et les discriminations, à l'instar du discours

175

biologisant du XIXᵉ siècle, qui prétend théoriser une iné-galité intrinsèque entre les êtres. Devrons-nous redouter que l'accumulation de données génétiques mal comprises ne donne prise à ce type de discours ?

S'il est vrai que la plupart de ces discours pseudo-scientifiques sont antérieurs à la génétique, la génétique apporte de « l'eau au moulin » des idéologies. Depuis son origine, bien avant l'avènement du génie génétique en 1973, la génétique parle aux fantasmes valorisant l'individu. Elle est la science qui dit la différence avec l'autre, qui distingue les individus, ce que les défenseurs d'une idéologie de l'exclusion ont tendance à détourner à leur profit. La génétique mendélienne, redécouverte au début du XXᵉ siècle, et la théorie darwinienne de l'évolution ont été utilisées comme bases scientifiques d'une des plus effroyables idéologies de tous les temps, le nazisme, qui est un fascisme revendiquant un fondement biolo-gique.

La génétique est une science qui peut immensément servir l'homme, excepté quand elle sert à lui barrer la route ou à le stigmatiser. Elle est pain bénit pour les diri-geants, les penseurs et les thuriféraires d'une certaine forme de société ultralibérale, et cela depuis l'époque de Darwin, avant même les travaux de Mendel. Si la pros-périté capitaliste se révèle incapable d'endiguer la vio-lence et le désespoir, nul ne peut en imputer la cause aux désordres et aux excès engendrés par le système. Les gènes en sont responsables ! Cette façon de penser per-met de justifier l'application des mesures eugénistes à différentes catégories d'asociaux : pour limiter, après la première question mondiale, l'immigration de certaines ethnies aux États-unis ; pour expliquer la violence dans les quartiers difficiles, etc. Sans discontinuité, on exhibe des résultats scientifiques venant à l'appui de préjugés idéologiques, ce qui est une illustration parfaite de la définition de l'idéologie scientifique donnée par Georges Canguilhem : c'est un préjugé qui se drape dans les oripeaux d'une science établie pour renforcer sa force de conviction.

Force est de constater qu'à nouveau, depuis quelques années, la génétique sert de plus en plus à fonder une idéologie hyperdéterministe, d'autant plus prégnante qu'elle est portée par l'essor de la société marchande libérale. On est en droit de craindre un regain des logiques de stigmatisation et d'exclusion du fait d'une recherche biomédicale qui segmente de plus en plus les groupes humains. Les déclarations de James Watson et de Francis Crick, les découvreurs de la structure en double hélice de l'ADN, sont emblématiques. Tous deux, en maintes occasions, ont réaffirmé leur conviction que la nature des différences entre les êtres était pour l'essentiel génétique, et qu'une politique de sélection sur cette base des embryons était légitime. Rien d'étonnant. Ces prix Nobel de médecine 1962 se situent dans la mouvance de la droite déterministe anglo-saxonne, un vieux courant de pensée inégalitariste, scientiste et flirtant parfois avec le racisme. Après la découverte de l'horreur des camps, ce à quoi avait abouti le paroxysme de cette vision, ce mouvement idéologique avait été disqualifié et mis entre parenthèses. Il revient en force. Véritable enjeu de la recherche médicale, on essaie de relever des particularités génétiques d'une population en fonction de la géographie ou des origines ethniques.

Racisme, la génétique à la rescousse

Le paroxysme moderne de ce courant a été atteint en 2005 lorsque la prestigieuse revue américaine *Science*, l'une des plus considérées dans le monde, a publié deux articles dont les conclusions suggéraient que l'on avait trouvé la cause des moindres capacités mentales des Noirs d'origine africaine comparés aux autres groupes humains. Selon les auteurs de ces publications (Bruce T. Lahn et ses collègues), des mutations amélioratrices de gènes intervenant sur le développement du cerveau étaient apparues il y a entre trente mille et cinq mille ans, soit après le départ d'Afrique des hommes à l'origine du peuplement de tous les autres continents. Tout était faux, mais les articles avaient été publiés, commentés de manière louangeuse sans déclencher, au moins durant les premiers mois, de protestation indignée.

De manière moins provocante, plus insidieuse, se développe aujourd'hui, en particulier outre-Atlantique, une médecine qui cible un groupe « ethnoracial » de patients, ce qui contribue à décomplexer un racisme « scientifique ».

Il existe sans contestation des maladies génétiques ou des prédispositions à certaines affections qui sont plus fréquentes dans certaines communautés et au sein de certaines ethnies que dans d'autres : thalassémie[1] ou hémophilie dans certains pays arabo-musulmans, où l'union

---

1. Maladie liée à des mutations qui entraînent une insuffisance de synthèse de certaines parties de la globine, protéine de l'hémoglobine.

entre cousins n'est pas prohibée. Maladie de Gaucher[1] ou syndrome de Tay-Sachs[2] chez les juifs ashkénazes, ou encore troubles cardio-vasculaires deux à trois plus fréquents chez les Afro-Américains que dans les autres communautés d'Amérique du Nord. La cause de ce phénomène est aisée à comprendre, on la nomme « effet fondateur ». Lorsque le petit groupe fondateur d'une communauté, il y a des siècles, voire des millénaires, comportait une certaine proportion de personnes porteuses des gènes de susceptibilité, ces derniers se retrouvent de façon naturelle chez un grand nombre des descendants et la fréquence de la maladie correspondante est de la sorte élevée dans la communauté moderne considérée.

Rien dans ces résultats ne devrait se prêter à une exploitation raciste puisque le racisme peut être défini comme la conviction que des « races » supérieures possèdent des dons leur donnant un droit naturel à dominer les autres, alors qu'à l'inverse existent des races inférieures « par nature ». On le voit, la fréquence de la thalassémie ou de la maladie de Gaucher dans une population a peu de rapports avec la supériorité sociale alléguée. Pourtant, ces travaux mal expliqués renforcent les convictions raciales de beaucoup. Ils en déduisent que, si les races ont en effet une base biologique, cette

---

1. Déficit enzymatique d'origine génétique qui entraîne une surcharge progressive des cellules de la rate et de la moelle osseuse en substances non dégradées.

2. Déficit enzymatique d'origine génétique de la même famille que celui de la maladie de Gaucher. Cependant, la surcharge en substances non dégradées intéresse ici les cellules du cerveau, si bien que se développe en très bas âge une encéphalopathie gravissime évoluant rapidement vers la mort.

dernière peut aussi bien fonder leurs qualités générales supérieures ou inférieures.

En fait, il revient au généticien d'expliquer ce que dit une découverte scientifique, ce qu'elle ne dit pas et ce à quoi elle ne peut pas servir. Démontrer que les bases biologiques avancées à l'appui des thèses racistes sont infondées est nécessaire. Le répéter autant de fois qu'il le faudra ne stoppera pourtant pas le racisme et ses conséquences. On devra y adjoindre un engagement qui relève de la conviction philosophique et morale : les hommes sont divers par la texture de leurs cheveux, la couleur de leur peau, parfois leur susceptibilité à certaines maladies. Diversité n'est cependant pas inégalité, et il convient de reconnaître l'identique qualité de chaque groupe qu'il ne saurait être question de « hiérarchiser » au plan de la dignité, des droits et des potentialités. La recherche génétique, en fait, établit les bases des différences innées entre les personnes et ne dit rien de leur valeur et de leurs destins humains.

Pourtant, la bataille fait rage parce qu'elle soulève à la fois des enjeux éthiques, politiques, économiques et sociaux. En 2007, la polémique autour de l'article de loi sur les tests ADN pour le regroupement des familles d'immigrés a représenté un pas de plus vers le phénomène inquiétant de biologisation de la société humaine et de réduction de la complexité de l'homme à sa seule condition génétique. Cet épisode s'intègre à la marée montante du phénomène de génétisation et de biologisation de la société dont les signes se multiplient.

Gènes et comportements sociaux

Le réductionnisme génétique qui tente d'établir un lien direct et quasi mécanique entre les gènes et les comportements sociaux est un des fléaux de la pensée contemporaine. De manière cyclique, on voit se réactiver le vieux débat de l'inné et de l'acquis. On exhibe des résultats scientifiques venant à l'appui de préjugés idéologiques. Dans *Nature* et dans *Science*, les deux plus grands journaux de biologie, 80 % à 90 % des commentaires des articles montrent que leurs auteurs font état de préjugés sociobiologiques. Or, le plus souvent, l'élément génétique joue surtout en matière de comportement comme un modulateur de l'effet des paramètres sociaux et émotionnels.

La vision des gènes commandant le destin des êtres est ridicule et fausse. Un gène gouverne une propriété, il ne commande jamais un destin. Il ne fait qu'intervenir dans un programme complexe auquel participent de nombreux autres gènes et qui définit la réactivité des êtres vivants à leur environnement. Pour l'homme, son environnement psychologique, psychique, éducatif aussi bien que nutritionnel ou infectieux.

Une fois pour toutes, il faudrait abandonner la notion simpliste de gène du suicide, du crime, de l'agressivité ou de l'homosexualité dont la découverte ou la confirmation font régulièrement les titres des journaux du monde. Affirmer cela n'est pas prétendre qu'il n'y aurait aucun effet de la matérialité du cerveau, et donc des gènes, sur la façon dont notre esprit réagit aux agressions du milieu. Cette réactivité est une caractéristique des personnes dont la diversité a été soulignée ; cette dernière est en particulier caractérielle et dépend à la fois de facteurs innés (génétiques) et de paramètres acquis, c'est-à-dire de l'empreinte laissée dans l'esprit par l'éducation, la culture et les épisodes de la vie. La nature de cette empreinte peut elle-même subir l'influence de déterminants génétiques. Inné et acquis apparaissent de la sorte indissociablement liés, la capacité d'acquérir et certaines des modalités de l'acquisition étant innées.

Ce qui est terrible dans ce que j'appelle « la vieille obsession de la nouvelle droite », c'est ce désir déjà signalé d'utiliser le déterminisme génétique comme un moyen efficace pour s'exonérer de ses responsabilités dans les désordres comportementaux, individuels et sociaux. Lorsque l'on voit la violence, les agressions sexuelles, les suicides dans tels ou tels milieux socialement et économiquement défavorisés, il est confortable de dire que cela n'est que le résultat d'une caractéristique constitutionnelle et ne doit rien aux anomalies du système que l'on contribue à mettre en place. Assumer ses responsabilités implique de prendre en compte la réalité de l'homme, avec sa diversité. Certains individus sont sans doute plus fragiles que d'autres, mais cette fragilité fait partie de l'éventail des comportements possibles.

On a observé, il y a une quinzaine d'années, dans une famille néerlandaise, une coïncidence entre la mutation d'un gène situé sur le chromosome X (le gène MAO-A), anomalie associée à un déficit enzymatique chez les garçons et le fait que ces garçons étaient souvent des adultes délinquants, notamment sexuels. Cependant, aucun lien statistiquement significatif n'a été relevé par la suite entre les différentes formes du gène et l'évolution vers la délinquance. Jusqu'au jour où on a pris en compte un troisième paramètre : la maltraitance infantile. On s'est rendu compte que chez les enfants maltraités qui ont hérité d'une forme du gène à faible activité, la fréquence d'une dérive vers la délinquance est jusqu'à cinq fois plus importante que chez les autres. En revanche, chez les enfants sans problème, le gène MAO-A n'a pas d'influence. Le gène MAO-A n'est par conséquent pas un déterminant de la délinquance, mais de la fragilité à l'agression physique et psychique que constitue pour les enfants la maltraitance. Un exemple similaire a été évoqué concernant l'influence sur la dépression de l'anomalie d'un gène codant un récepteur-transporteur de la sérotonine, un médiateur de la famille des monoamines : son effet sur le risque de suicide semble lié à l'aggravation des conséquences d'épreuves douloureuses de la vie (séparation conflictuelle, décès d'un être cher…) et sinon se manifester fort peu.

Gènes et environnement

Les exemples cités plus haut de l'influence d'altérations géniques sur la réactivité individuelle à des facteurs psychiques, en particulier des agressions et les stress associés, ont en réalité une valeur générale : les gènes agissent toujours en modulant la réactivité des cellules et des organismes à leur environnement. Parfois, les désordres produits par des mutations perturbent à ce point les propriétés des organismes que ces derniers sont toujours endommagés par leur environnement quel qu'il soit. On parle alors de mutations à « pénétrance complète ». La maladie de Tay-Sachs citée plus haut en est un exemple. Même dans ces cas, on peut néanmoins se représenter le jeu réciproque des gènes et du milieu : un malade hémophile qui flotterait en apesanteur et ne serait victime d'aucun traumatisme mécanique ne saignerait jamais ! D'autres fois, les choses sont plus claires, par exemple, dans les cas du favisme et de la phénylcétonurie. Dans le premier cas, la personne tombe malade quand elle mange des fèves (d'où le nom de la maladie) ou quand elle absorbe certains antipaludéens. Cette maladie est due à une substance contenue dans les fleurs et les fruits de la fève, toxique pour les individus prédisposés par l'absence héréditaire de la glucose 6-phosphate déshydrogénase, une enzyme du globule rouge. Dans la seconde affection, l'ingestion de très nombreux aliments (viande, poisson, œufs, pain, pâtes…) provoque une augmentation dans le sang de la phénylalanine, qui n'est pas consommée du fait du déficit enzymatique. L'accumulation considérable de cet acide aminé et de ses produits de dégradation provoque un retard mental très grave. Il faut un régime très strict pour éviter que n'apparaissent ces symptômes.

Dans les deux cas, on constate qu'un gène est déficient et que la maladie se développe quand l'environnement (dans ce cas l'alimentation) n'est pas adapté. On a affaire ici à des personnes fragiles qu'il s'agit de protéger, et cela est une image assez générale de l'influence des gènes sur les êtres. Si on osait la métaphore, on pourrait comparer ces personnes affectées d'une anomalie génétique à des automobiles dont la tôle ne dépasse pas un millimètre d'épaisseur, alors qu'habituellement elle fait quatre millimètres. Si l'auto ne rencontre pas d'obstacle, elle pourra rouler très longtemps. Mais, en cas de choc frontal, elle a plus de chances qu'une autre de finir en accordéon. Bien entendu, si le véhicule n'a plus de tôle du tout, il ne pourra jamais fonctionner. Voilà ce qu'il faut comprendre du déterminisme génétique, plus subtil que beaucoup ne le pensent.

Maladies à révélation tardive

Il est des mutations à pénétrance totale – c'est-à-dire dont l'effet pathologique est certain –, mais dont les premières manifestations sont très retardées dans la vie, apparaissant après plusieurs décennies. Dans le modèle général du mode d'action des gènes proposé dans le paragraphe précédent, cela se traduit par une perturbation subtile des propriétés cellulaires telle que les dommages responsables de la maladie apparaissent très lentement, comme un défaut dans la tôle du véhiclule qui en accélérerait la corrosion. Les exemples de ce type sont de plus en plus nombreux, ils concernent par exemple des cancers (voir ci-après), la maladie polykystique des reins et des affections neurodégénératives. Dans ces maladies, les lésions neurologiques évoluent à bas bruit et lentement et les premiers symptômes sont observés de façon plus ou moins tardive. La chorée de Huntington est emblématique de ces situations ; elle est loin d'être isolée. Dans cette maladie redoutable, les patients présentent, à la quarantaine, des troubles du comportement, des mouvements anormaux, une dégradation progressive des capacités conduisant à la démence. Ces personnes finissent grabataires et meurent en une dizaine d'années.

On a isolé le gène dont l'altération provoque la maladie, ce qui rend possible un diagnostic prénatal ou préimplantatoire lors d'une procréation assistée avec FIV. En cas de dépistage d'une maladie d'une particulière gravité qui s'exprimera vers quarante ou cinquante ans, il convient de s'interroger sur la décision à prendre.

Dans l'hypothèse d'une transmission dominante[1], certaines situations se révèlent redoutables et traumatisantes : imaginons le cas d'une personne informée du fait qu'elle risque de transmettre le gène muté. L'un de ses parents, un frère ou bien un cousin, a déjà développé une chorée de Huntington. Attendant un bébé, la personne concernée demande de recourir à un diagnostic prénatal, mais ne désire pas elle-même connaître son état. Si le test pratiqué sur des embryons se révèle positif, cela démontre sans ambiguïté qu'elle a bien transmis le gène muté et qu'elle est par conséquent elle-même affectée. Un jeune homme ou une jeune femme en pleine santé, désirant avoir des enfants, se voit signifier qu'il ou elle porte au sein de ses cellules une malédiction génétique qui le ou la condamne de façon inéluctable ! Nous percevons la difficulté devant laquelle se trouvent les biologistes dans de telles situations : le parent « à risque » refuse toute information en ce qui le concerne, mais ne souhaite nullement mettre au monde un enfant programmé pour développer la chorée de Huntington. Aucune des solutions proposées afin de surmonter un tel casse-tête n'est pleinement satisfaisante.

---

1. Il suffit d'avoir hérité d'un gène muté de seulement l'un de ses deux parents pour développer la maladie.

Même en dehors de ce cas particulier, le diagnostic prénatal de cette maladie pose un gigantesque dilemme qu'il est impossible de trancher de manière univoque. Par un certain côté, l'interruption de grossesse pour ce type d'affection ne va pas de soi. Pourquoi ne pas penser que, dans quarante ans, les progrès de la médecine permettront peut-être de corriger ce gène lui-même, ou au moins d'empêcher la manifestation de la maladie ? N'est-ce pas faire preuve d'un grand pessimisme quant à l'évolution de la médecine ? Une vie ne vaudrait-elle la peine d'être vécue que si elle va au-delà de quarante ou quarante-cinq ans ? Quid de ceux qui ont une existence brève et glorieuse ? Évariste Galois meurt à vingt-cinq ans, Mozart à trente-cinq ans, Schubert à trente et un ans… Il n'est pas possible d'établir de distinction nette entre des vies qui méritent ou non d'être vécues.

Cependant, une attitude intransigeante refusant de pratiquer un diagnostic prénatal – car on s'interdirait d'envisager toute interruption de grossesse – n'est pas non plus une bonne solution. Qui demande ce type de test ? Des familles dites à risque. Prenons le cas d'un couple qui se sait menacé par la maladie. Il demande à son médecin de tout mettre en œuvre pour empêcher la perpétuation d'un tel malheur chez ses enfants. Soit le couple s'apprête à renoncer à être parents, soit le diagnostic lui apporte l'assurance que l'enfant à venir ne développera pas la maladie. Pratiquer le test, c'est donc permettre à cette femme et à cet homme d'avoir une filiation biologique.

En fait, pour une équipe soignante, c'est par le dialogue avec les parents, en comprenant leur perception de la situation, s'ils la vivent ou non avec terreur, que pourra se prendre une décision partagée : surseoir au diagnostic ou le pratiquer. Ne nous leurrons pas, ce type de situation va se multiplier avec l'extension des connaissances de la génétique.

La pulsion eugénique

Le rêve de l'« enfant sans défaut » est merveilleusement décrit dans le film de science-fiction *Bienvenue à Gattaca*. Dans un futur indéterminé, à Gattaca, les êtres parfaits sont génétiquement sélectionnés dès leur naissance. Eux seuls sont promis à une vie de succès et peuvent participer aux programmes spatiaux. Irons-nous jusque-là ?

Ce qui est sûr, nous l'avons déjà noté en évoquant l'affaire et la jurisprudence Perruche, c'est que la pulsion eugénique des couples est aujourd'hui encore accrue par les possibilités techniques, les promesses de la science et l'intolérance grandissante de la société au risque, son obnubilation par l'objectif d'un « zéro défaut ». Les citoyens sont prompts à traîner devant les tribunaux quiconque paraît avoir failli, en obtenant des résultats imparfaits, ce qui a fait exploser le coût des polices d'assurance professionnelle de certains métiers de la santé, en particulier échographistes et obstétriciens. Jadis, l'observation en échographie de signes d'alerte relative, associés par exemple à une probabilité de 5 % de malformations, n'était le plus souvent pas signalée à la mère ou au couple afin de ne pas transformer en cauchemar une grossesse heureuse. Aujourd'hui, tout a changé, car le risque d'action intentée à l'encontre du professionnel soucieux de ménager sa patiente est devenu considérable. Le moindre doute est de ce fait évoqué, conduisant à des interruptions de grossesse qui avaient 95 % de chances d'aboutir à la naissance de beaux bébés.

C'est ce danger eugénique qui pousse le biologiste de la reproduction, Jacques Testard à dénoncer avec vigueur l'utilisation du diagnostic pré-implantatoire (DPI) déjà décrit. En effet, plus que le classique diagnostic pré-natal qui se pratique à quelques semaines de grossesse, le DPI se prête au tri d'embryons utilisés dans le film *Bienvenue à Gattaca*, ainsi qu'en témoigne son usage dans l'approche déjà évoquée du « bébé-médicament ».

Rien ne peut en effet justifier le « magasin des enfants » où l'on commanderait une progéniture prénormée et standardisée, comme l'a dénoncé dans son livre éponyme Jacques Testart. Gardons-nous du désir, voire du fantasme, de l'enfant à la carte. C'est sans doute le rôle des scientifiques de mettre en garde la société face à des risques de pratiques dévoyées. Mais il arrive que les diagnostics préimplantatoires permettent d'éviter des souffrances inutiles. Il me revient en mémoire l'histoire d'une famille où plusieurs enfants étaient déjà morts d'une maladie génétique terrible. De plus, deux grossesses avaient été interrompues car le diagnostic prénatal s'était révélé positif. Pour l'équipe médicale, l'alternative avait été très simple. Ou bien le diagnostic préimplantatoire était utilisé et promettait que l'enfant ne serait pas en danger, ou bien le couple, qui ne supportait plus ces débuts de grossesse interrompue par un avortement thérapeutique, renonçait de façon définitive à avoir un enfant en bonne santé. Fallait-il refuser à ces gens de fonder une famille heureuse ?

Le cas particulier de la prédisposition génétique au cancer du sein

Grâce à la connaissance du génome humain, on va de mieux en mieux connaître les prédispositions à certaines maladies. Ces prévisions génétiques permettent, selon les cas, des mesures de prévention plus ou moins aisées à mettre en œuvre et à accepter. De plus en plus nombreuses sont les observations d'un excellent couplage entre prévision génétique et prévention efficace ; il s'agit sans aucun doute d'un important succès de la médecine.

Pour une affection fréquente comme l'hémochromatose, caractérisée par une surcharge en fer du foie et d'autres organes, on peut détecter l'anomalie génétique responsable de l'affection avant même que la personne en soit atteinte. On évite alors la surcharge en fer en préconisant au porteur de la maladie de donner son sang régulièrement, ce qui préviendra les complications graves de l'affection (insuffisance cardiaque, cirrhose et cancer du foie). Le diagnostic génétique présymptomatique permet donc de prévenir par des mesures simples le développement d'une maladie redoutable.

Les choses se compliquent si on aborde le cas du cancer du sein qui frappe une femme sur neuf. Cinq pour cent de ces cancers au moins sont génétiques. Par conséquent, une femme sur deux cents risque de développer un cancer du sein dans 55 à 70 % des cas. C'est une menace à prendre très au sérieux. Dans les familles où une mère, une tante ont déjà été affectées par cette maladie et dans laquelle la mutation d'un gène de susceptibilité a été détectée, imaginons qu'une femme demande au médecin de se « faire tester ». Si le test se révèle négatif, la femme repart soulagée. Qu'advient-il si le médecin découvre que cette femme possède le gène muté ?

En premier lieu, il lui faut informer sa patiente de la réalité du danger qu'elle court, l'aider à gérer son angoisse qui préexistait en fait à la réalisation du test et lui proposer une surveillance régulière. Si on se place dans une logique médicale, on préconise une mammographie tous les ans et on sauve environ 30 % de vies. Ce score atteint 50 % avec l'ovariectomie préventive, car le gène en cause accroît aussi le risque de cancer de l'ovaire. Ou enfin on propose l'ablation préventive des deux seins et des deux ovaires, seule solution pour sauver 95 % de malades. On comprend aussi à quel point la culture joue dans l'attitude des femmes. En France, cette solution est rarement retenue à la différence de l'Amérique du Nord. À l'évidence, la solution radicale de l'exérèse chirurgicale n'est pas applicable à toutes les prédispositions des cancers. Ce type de prévention, s'il est valable pour le sein, le serait moins en cas de susceptibilité génétique au cancer du cerveau !

La liberté de choix laissée à cette femme est en réalité des plus contraintes : soit prendre un risque que la médecine n'est pas capable de juguler, soit se résoudre à une mutilation aux conséquences physiques et psychologiques fort lourdes. J'ai comparé la situation à celle du condamné qui choisirait son mode d'exécution. Il n'empêche que, en présence d'un risque familial avéré et de la demande d'une femme inquiète, on voit mal un médecin refuser de pratiquer ce test.

191

En revanche, il n'y a aucune raison de le proposer de façon systématique à toutes les femmes. Les formes héréditaires de cancer du sein étant, en effet, les plus rares, une femme testée négativement a encore un risque sur douze de développer un cancer du sein. Un dépistage systématique de la susceptibilité génétique au cancer du sein présente un intérêt limité au regard d'une logique médicale et éthique.

Un « business » conséquent

Si on se place dans une logique commerciale, force est de constater que le programme génome véhicule des intérêts financiers considérables. Le marché des médicaments avoisine 300 milliards de dollars à ce jour. Si on y ajoute le marché de l'ensemble des biotechnologies, on approche les 500 milliards de dollars. La plus grande partie de ce marché est représentée par les médicaments dans le coût desquels les brevets sur les gènes et les droits attenants occupent une part croissante. Les tests génétiques sont cependant une source de revenus non négligeables appelée à s'accroître. Une société américaine a breveté les gènes de susceptibilité majeure au cancer du sein, et les tests pour en détecter les mutations. Elle offre l'exclusivité de la mise en œuvre de ce test pour la modique somme de 2 600 dollars pièce. Son argument de vente est simplissime : « Mesdame, vous ne pouvez pas jouer les autruches et ignorer que l'on peut détecter aujourd'hui, chez vos filles et vous-mêmes, cette susceptibilité, et alors, encore mieux sans doute demain qu'aujourd'hui vous protéger, elles et vous ». Après une bonne campagne de publicité, faisons l'hypothèse que 10 % des femmes des pays riches acceptent de payer pour passer le test. Il y a quatre à cinq cents millions de femmes dans les pays riches, cela fait quarante à cinquante millions de tests à 2 600 dollars pièce : c'est un marché théorique de plus de 100 milliards de dollars pour un seul test génétique ! Or, des tests, il y en aura des dizaines… !

Droits de l'homme, pouvoir des gènes

Il est probable que, demain, les gens connaîtront de mieux en mieux tout ou partie des déterminants de leur avenir biologique, de leur susceptibilité aux maladies. Ce sera le résultat des examens médicaux qui leur auront été prescrits mais aussi, peut-être, de leur propre curiosité de l'avenir. L'appétence manifestée aujourd'hui pour les horoscopes et diseuses de bonne aventure risque d'être décuplée lorsque la prédiction sera auréolée de la scientificité de la génétique, perçue comme la science capable de déchiffrer le destin humain. Or, ce savoir-là, quand bien même il n'a pas de conséquences médicales, peut avoir d'immenses implications d'un point de vue économique, dans des systèmes de prêts bancaires, d'assurances privées ou de sélection à l'embauche. Demain, nous serons dans des sociétés où des intérêts économiques puissants pourront tirer profit de la connaissance des prédispositions génétiques des personnes, alors que de plus en plus d'individus affirment vouloir connaître leur avenir génétique.

Rien ne sera plus difficile à conserver que l'intimité génétique. Des circuits existent, des fichiers entre lesquels il sera quasiment impossible d'empêcher les croisements. De la sorte, les risques sont grands que les agents économiques concernés aient accès aux informations sur le possible avenir biologique des gens. Ce danger est réel et, si on ne prend pas garde, des mécanismes implacables aboutiraient à ce que la liberté qu'ont les personnes au sein de la cité, en principe fondée sur leur commune humanité, ne soit sévèrement limitée en fonction de leurs déterminants biologiques. L'article de la Déclaration des droits de l'homme selon lequel « tous les hommes naissent et demeurent égaux en droit » ferait place à la modulation de leurs droits en fonction de leurs gènes. En d'autres termes, c'est au remplacement du principe des droits de l'homme par celui du pouvoir des gènes que l'on assisterait. Quel assureur accepterait un client qu'il saurait porteur du gène de susceptibilité à une maladie grave ? Droits de l'homme et logique des gènes ne vont pas forcément de pair. Une régression funeste. Il faut le savoir pour tenter de s'en prémunir. C'est possible, sans doute, encore faut-il en avoir conscience.

Comment conviendrait-il d'éviter une telle prise de pouvoir des gènes sur les droits de l'homme ? Dans le domaine de l'assurance, des lois existent en France et dans d'autres pays du monde – elles viennent d'être adoptées aux États-Unis – qui interdisent en principe aux compagnies d'assurances d'exiger des tests génétiques chez les assurés pour leur établir une police. Les mêmes dispositions s'étendent à la sélection à l'embauche et aux prêts. Cela dit, l'efficacité à terme de ces dispositions est douteuse. En effet, l'une des règles d'or de l'assurance est l'obligation de loyauté et de réciprocité : un assuré ne peut masquer à la compagnie ce qu'il sait de lui-même, sous peine de nullité du contrat. Or, nous l'avons vu, les personnes posséderont dans l'avenir de plus en plus d'informations sur leurs prédispositions génétiques et seront, dès lors, tenues d'en faire état.

De toute façon, la mondialisation des dispositifs d'assurance et de prêt risque d'enlever toute efficacité à des lois nationales. En Europe même, plusieurs pays – dont le Royaume-Uni – n'ont pas légiféré en la matière, il est aisé d'en comprendre les conséquences : les tarifs de leurs compagnies d'assurances pour les personnes sans risque génétique avéré seront des plus compétitifs, attirant en priorité cette clientèle. En revanche, les malchanceux à la loterie de l'hérédité auront tendance à se rabattre sur les compagnies vertueuses, qui seront alors bien vite, soit hors de prix, soit en grande difficulté financière. De plus, les sociétés d'assurances privées n'ont pas tout à fait tort lorsqu'elles revendiquent leur spécificité d'offrir des polices à des tarifs équitables, prenant en compte la réalité des risques. Aujourd'hui, celle-ci est appréciée d'après les antécédents familiaux : à quel âge les parents et grands-parents sont-ils décédés, quelles maladies ont-ils développé, etc. Ce sont là des informations d'ordre génétique, de même nature en fait que les tests ADN. L'équité revient à vendre les choses au prix qu'elles valent. L'assurance des véhicules, par exemple, a un coût qui varie au moins de 1 à 10 en fonction des antécédents des conducteurs et du type d'engin. Les assureurs privés font remarquer que la solidarité nationale est une belle idée mais que la responsabilité en incombe à la nation, pas à eux qui ne sont que des commerçants.

Pour reprendre au bond cette objection, notons que c'est en définitive aux pays, en fonction de leur projet politique, qu'il revient en effet de sauver le système « égalitaire et solidaire » d'assurances, dans lequel les primes ne sont pas modulées en fonction des situations et où les « bons risques » paient pour les mauvais, la Sécurité sociale en France. Chaque citoyen doit se déterminer quant à l'effort qu'il est disposé à consentir pour préserver un tel système marqué encore du sceau des desseins collectifs solidaires en une période où l'égoïsme individualiste est le plus vanté. La question est bien celle de la société dans laquelle chacun d'entre nous désire vivre et de la place qu'y doit conserver le souci de l'autre, moteur de la solidarité. Il faut bien admettre que l'atmosphère actuelle ne rend pas optimiste.

Libéralisme, darwinisme et génétique, l'inégalitaire trinité

Le libéralisme économique théorise l'inégalité comme l'un des moteurs principaux du succès des sociétés, la génétique suscite un formidable intérêt. Cette science qui distingue les individus tombe en effet à point nommé. Puisque chacun diffère de l'autre par ses gènes, à chacun, par conséquent, de faire fructifier son patrimoine génétique aussi bien que son patrimoine industriel ou financier. Et que le meilleur gagne.

On assiste ainsi à une collusion entre deux grands mouvements, l'un issu de la biologie, l'autre de l'économie, une collusion qui prend l'allure d'un phénomène social sans équivalent. Certes, ces rapprochements ne sont pas nouveaux puisque Darwin, au XVIIIe siècle, a emprunté certaines de ses idées sur la sélection naturelle à Adam Smith, le théoricien du libéralisme économique. Avec les tests génétiques « en libre circulation », on peut « voir » les gènes de chacun, pointer les différences biologiques entre les individus. Et, donc, fonder une théorie de l'inégalité « rénovée » par la génétique moléculaire.

Pour résumer d'une manière qui n'est pas si caricaturale qu'il n'y paraît, une étrange vision de l'homme et de la société semble s'imposer chez beaucoup. Les êtres comme les entreprises sont inégaux, leur compétition aboutit au succès des plus performants. Les qualités des personnes sont liées à leurs gènes, ce sont eux qui leur donnent leurs talents, leur infligent leurs tares et règlent l'issue d'une compétition désirable et créatrice puisqu'elle aboutit à un progrès. Multiplier ses bons gènes – eux qui permettent par exemple au boulanger d'Adam Smith de faire du bon pain – conduit à la prospérité, à l'accumulation de biens qu'il revient aussi à chacun de faire fructifier. Quant aux malchanceux, aux délinquants par nature, ils représentent une menace pour la société dont il conviendrait de se protéger par les moyens les plus efficaces, traitement ou répression.

Il s'agit là bien entendu d'une vision folle de la génétique, pourtant son influence s'accroît de façon insidieuse et irrésistible. Elle lance un défi majeur à tous ceux pour qui la valeur de l'autre quel qu'il soit, base de la pensée morale et de la démarche éthique, ne saurait se réduire à celle que programme un jeu particulier de gènes. Le renforcement de l'idéologie raciste est à craindre, si elle n'est pas inéluctable, comme le suggère l'épisode stupéfiant des articles de *Science* traitant de l'évolution des capacités mentales (voir page 178). L'enchaînement y conduisant apparaît en effet imparable. Tous les jours

sortent des résultats tendant à prouver que des caractéristiques comportementales et intellectuelles sont liées à
des gènes ou à des marqueurs génétiques (c'est-à-dire à
des sites particuliers de l'ADN des chromosomes). Or,
du fait de l'« effet fondateur » évoqué plus haut, l'humanité est diverse, et cette diversité a sa traduction – et sa
cause – au niveau du génome. Par conséquent, des marqueurs de traits péjoratifs ont toutes les chances de se
retrouver un jour plus fréquents dans une communauté
ethnique particulière, jetant l'opprobre sur tous ses
membres et paraissant confirmer les affirmations anciennes des racistes de tout poil.

L'ADN individuel,
paradigme du narcissisme moderne

Le génie génétique entre sur le territoire de l'homme
par de multiples chemins. En moins d'un quart de siècle,
il a pulvérisé les frontières du savoir en biologie humaine.
Le séquençage du génome humain a permis de repérer
l'existence d'environ vingt-cinq mille gènes (contrôlant
les propriétés biologiques indispensables à l'humanisation d'*Homo sapiens*) dont les fonctions et la signification sont de mieux en mieux compris.

On dit volontiers que la science est idéologiquement
neutre, moralement indéterminée. Mais ce n'est pas pour
autant que les chercheurs doivent être moralement
incompétents et irresponsables quand il s'agit des utilisations de la science. En tant que chercheur contribuant
à l'acquisition des connaissances en génétique, il me
paraît impossible de ne pas m'interroger sur leur appli-

cation, et tel est l'un des objectifs de ce livre. J'espère qu'il contribuera au débat nécessaire sur ces questions. S'il devient clair que la logique de la « prime aux gènes », poussée à son extrême, conduit à un éclatement de la société, à une disparition de la solidarité, elle doit alors être jugée mauvaise en référence aux principes éthiques sur lesquels je fonde ma réflexion.

On ne peut s'en remettre uniquement aux lois qui encadrent les applications de la génétique car, de même que ces dernières ont procédé d'un certain état de la réflexion éthique, leur avenir en dépend tout aussi bien : à opinion publique convertie au « généticisme ambiant », tôt ou tard, lois correspondantes.

La question du séquençage du génome et de son utilisation par l'individu et la société promet de jouer un rôle croissant dans le débat. Le coût de l'établissement de la séquence globale des trois milliards de lettres qui composent un génome ne cesse de baisser très vite. Il est aujourd'hui d'environ cinquante mille dollards et va passer au-dessous de mille ou deux mille dollars ; il sera peut-être un jour d'une centaine d'euros.

Pour augmenter l'appétence du public pour un semblable examen, les petites sociétés qui se positionnent sur le créneau font la promesse que les informations obtenues par cette technique, c'est-à-dire les données concernant la susceptibilité à telle ou telle maladie, permettront de modifier son mode de vie… dans le bon sens, nous encourageant à prendre les précautions nécessaires. Ce genre d'affirmations est contestable, elle procède d'une naïveté intéressée ou relève d'allégations mensongères. Certaines sociétés s'engagent sur le Web dans des voies encore plus spéculatives, affirmant détecter des gènes de l'appartenance à la tribu des Cohen ou encore prédire d'après l'ADN des conjoints la qualité et la stabilité d'un couple.

À quoi va servir cette débauche de données génétiques ? Les médecins vont-ils s'en emparer pour adapter les traitements ou informer leurs patients de risques éventuels de maladies et leur donner des conseils de vie ? les psychiatres pour cataloguer leurs patients ? les employeurs pour choisir leurs candidats ? les assureurs pour modifier leurs contrats ?

Beaucoup de gènes de susceptibilité ne donnent en effet qu'une information de peu d'intérêt individuel. Que veut-on savoir ? Si l'on va être malade ou non. Or le gène de susceptibilité ne prédit rien de précis, il dit simplement qu'un risque de 1/1 000 dans la population générale, par exemple, passe à 1/100 chez les possesseurs de certaines formes du gène considéré. Lorsque la qualité de la prévision est meilleure, il est légitime de s'interroger sur la manière dont le porteur réagira.

Prenons l'exemple des gènes de susceptibilité au diabète. Si les individus qui les possèdent se suralimentent, il y a de fortes chances pour qu'ils développent une obésité et ensuite un diabète. En première analyse, on pourrait être satisfait dans la mesure où la détection de la susceptibilité permet de prodiguer des conseils de vie. Ces personnes éviteront au maximum les situations qui les conduiraient à la maladie. D'un autre côté, le danger vient du fait que la connaissance de cette fragilité particulière peut compliquer la vie des personnes (auprès des banques, des assurances...) sans assurer une observance des conseils donnés par les personnes à risque. Il ne faut pas se faire d'illusion : ce n'est pas parce qu'on aura dit à quelqu'un qu'il est porteur d'un gène de susceptibilité à l'obésité et au diabète qu'il deviendra frugal du jour au lendemain. Personne n'ignore que le tabac donne le cancer, c'est inscrit sur tous les paquets de cigarettes, et trop de gens continuent de fumer. Imaginons une société où on finira par annoncer à quelqu'un : selon vos gènes, il serait bon que vous ne fumiez pas, que vous ne mangiez pas de foie gras, que vous ne preniez pas d'alcool, que vous soyez raisonnable quant à l'exercice de votre sexualité… Jusqu'où ces consignes seraient-elles observées ? Peut-être pas du tout. Les conduites humaines habituelles n'assurent pas que la nature génétique d'un risque conduise à une meilleure observance de comportements qui minimisent ce risque !

Comment aborder cette question d'un point de vue éthique ? Comment résister à la publicité qui pousse à la consommation de ces tests ? Il faut fournir aux « clients potentiels » un accès à un maximum d'informations sur l'intérêt et les dangers de l'information génétique. C'est un problème à la fois éthique, politique et économique. La puissance publique doit protéger le citoyen et faciliter son autonomie en lui donnant accès aux informations pertinentes. En l'occurrence, seul l'État dispose des moyens d'organiser cette information, comme il le fait déjà pour l'abus d'alcool ou le tabagisme.

Que dire à celui ou à celle qui succombe à la tentation de dépenser des dizaines de milliers d'euros aujourd'hui ; juste quelques centaines demain, pour faire établir la séquence totale de son génome ? Payer pour obtenir cette information génétique ne permettra pas, le plus souvent, de connaître son destin biologique. Par définition, il manque la majeure partie des informations puisque la survenue de la maladie dépendra de l'environnement, du comportement de l'individu. Il serait dangereux de laisser le champ libre à ceux qui jouent avec l'illusion que l'on a ancrée dans l'esprit des gens d'une toute-puissance des gènes pour vendre leurs produits. Évitons que les individus ne soient de plus en plus réduits à leur seule dimension biologique !

Quand Socrate disait : « Connais-toi toi-même », il signifiait par là que chacun devait s'interroger sur ses motivations, sur les causes de ses préférences, afin de se maîtriser, d'apprendre à se conduire. Quel malheur si la réponse à l'injonction socratique était perçue comme relevant du séquençage de son génome ! Une telle pulsion au séquençage individuel de l'ADN est aussi une étape supplémentaire dans le développement du narcissisme. La tendance moderne était de cantonner la curiosité de chacun à l'observation insistante de son nombril. Passer de ce dernier au génome individuel ne constitue pas un progrès évident.

Le mythe d'une maîtrise des dépenses de santé grâce à la « médecine prédictive »

En 1993, je crois, le directeur général de l'Inserm, Philippe Lazar, reçoit Mme Simone Veil, ministre de la Ville et des Affaires sociales. Il m'avait demandé de faire à la ministre une présentation des perspectives offertes par la génétique et la médecine « prédictive ». Dans cet exposé, je présente les données, les perspectives et les incertitudes, les limites de l'approche en termes de prévention et de maîtrise des coûts. D'abord, les tests génétiques pratiqués pour déceler une prédisposition à une maladie sont chers, nous l'avons vu à propos du cancer du sein ! – leur multiplication sera dispendieuse. Le taux d'observance des mesures d'hygiène de vie prescrites pour diminuer le risque que ne surviennent ces affections auxquelles les personnes sont susceptibles ne peut être prédit. Il sera loin d'être parfait, si bien que le gain économique lié à la prévention pourrait ne pas se révéler considérable. Enfin, la prévention passera parfois par la prise de médicaments. S'il faut traiter de manière préventive 100 % des personnes porteuses d'un marqueur génétique de susceptibilité à une affection alors que seule 5 à 10 % d'entre elles auraient développé la maladie, cela n'ira pas dans le sens des économies.

Écoutant cela, Mme Veil me dit : « Vous me faites plaisir, docteur Kahn. Il y a des années de cela, je m'inquiétais déjà de la dérive des dépenses de santé. Le professeur Jean Bernard tenta de me rassurer. Selon lui, grâce à la médecine prédictive dont son ami le professeur Jean Dausset était l'initiateur et s'était fait l'ardent promoteur, les maladies prévues seraient bientôt prévenues, évitant d'avoir à être soigné. Il s'ensuivrait une rapide amélioration des comptes de la Sécurité sociale. Eh bien, vous voyez, conclut la ministre, je ne l'ai pas cru... »

Pourtant, tous ne partagent pas aujourd'hui la prudence lucide de Mme Veil. En septembre 2009, j'ai eu l'occasion d'introduire une table ronde sur la santé publique. Je note que la génétique voit son rôle s'accroître, mais qu'elle n'a pas le pouvoir de prévoir et de prévenir toutes les maladies car une proportion croissante d'entre elles est liée aux conduites à risque (alcoolisme, consommation de drogues, troubles alimentaires et obésité, tabac, pratiques sexuelles non protégées, etc.), conduites associées au mal-être social, économique et mental. Lorsque son tour arrive de parler, un auteur français réputé de tendance ultralibérale, décliniste par posture (c'est-à-dire spécialisé dans l'annonce du déclin rapide de notre pays, particulièrement handicapé par l'incohérence de ses citoyens et de sa protection sociale), fait état de son absolue conviction que l'on saurait bientôt lire dans la séquence de l'ADN toutes les prédispositions à ces conduites, et mettre en œuvre ce qui est nécessaire pour les prévenir. Un nouveau témoignage de la vigueur persistante des références idéologiques de la « nouvelle droite ». J'ai pensé en moi-même que les thèses économiques de cet auteur avaient sans doute la même robustesse que ses analyses médico-biologiques...

Le secret médical et l'information des patients

La gestion de renseignements fournis par les tests génétiques pose la question du secret médical. À qui sont transmises ces informations ? La question de l'information des parents ou des personnes apparentées concernés par les résultats est l'objet de controverses. Qui doit prévenir ceux qui ont hérité d'un trait génétique morbide décelé par un test ?

Un épisode douloureux illustre cette problématique. Au début des années 2000, des parlementaires s'émeuvent des conséquences dramatiques d'une défaillance dans la transmission de l'information génétique. En effet, un déficit en une enzyme du cycle de l'urée (OTC) avait été détecté chez une personne atteinte d'une encéphalopathie par augmentation considérable de la teneur du sang en ammoniaque. C'est là un signe caractéristique du déficit enzymatique qui entraîne l'incapacité du foie à transformer l'ammoniaque issue de la dégradation des protéines en urée, produit peu toxique et aisément éliminé par les reins. Les enfants dont le déficit enzymatique est total meurent à la naissance ; ils ne sont sauvés qu'au prix d'une transplantation hépatique en urgence.

Les personnes chez lesquelles le déficit n'est pas complet mènent une vie normale, qui peut être émaillée d'épisodes sévères. À l'occasion d'un accident, d'une injection, d'un jeûne prolongé, ces malades détruisent activement des protéines musculaires, ce qui déclenche une production massive d'ammoniaque qui, non « détoxiquée », entraîne une encéphalopathie mortelle.

Quelque temps après que le premier cas de déficit a été dépisté dans la famille, deux jeunes adolescents, cousins plus ou moins éloignés (le gène défectueux est localisé sur le chromosome X, si bien que seuls les garçons sont atteints), sont eux aussi victimes d'une telle crise d'« hyperammoniémie » ; ils tombent dans le coma et meurent, sans que le diagnostic soit porté. Le danger qu'ils encouraient n'était pas connu car l'information qu'une première observation avait été faite dans la famille n'avait pas été communiquée aux apparentés et aux médecins. Si la fragilité constitutionnelle des adolescents avait été connue, ils ne seraient sans doute par morts.

À la suite de ce drame, des députés saisissent par conséquent le CCNE et lui demandent s'il ne serait pas favorable à une loi levant le secret médical dans des situations semblables. La loi actuelle est claire : le patient est maître de l'information médicale le concernant et reste libre de la transmettre ou non à sa famille. En 2004, à la suite du drame que je viens de présenter, le législateur a prévu une « procédure d'information médicale à caractère familial » qui permet au patient de transférer aux médecins la responsabilité d'informer ses proches. Cependant, suivant en cela l'avis du CCNE, l'information de la famille continue de dépendre du patient et le secret médical n'est pas rompu.

Les enjeux posés par la médecine moderne (génétique, médecine prédictive, nouvelles technologies), les exigences actuelles de prise en charge globale des patients, l'affirmation de leur droit à l'information amènent à s'interroger aujourd'hui sur le principe du secret médical. Comme l'illustrent les interrogations soulevées par cette observation familiale de déficit en OTC.

À qui appartient l'information génétique ? Qui doit la détenir ? Qui informe les apparentés ? Le malade ou le patient ? Toute personne menacée doit-elle être mise au courant selon le principe hygiéniste ? Faut-il considérer qu'une information génétique appartient uniquement à la personne concernée et que le médecin est tenu par le secret médical ? Dans ce cas, le médecin s'interdit de transmettre une information directement, sans passer par son patient. Il lui revient d'expliquer la situation à ce dernier et de l'inciter à informer ses proches (au besoin, en lui confiant une lettre explicative).

Le serment d'Hippocrate proclame : « Quoi que je voie ou entende dans la société pendant ou même hors de l'exercice de ma profession, je tairai ce qui n'a jamais besoin d'être divulgué, regardant la discrétion comme un devoir en pareil cas. » Dans l'intérêt des patients, le contrat de loyauté doit être respecté en totalité. Il est indispensable de préserver le secret médical, à double titre : sur la base d'un argument moral fondamental et d'un principe utilitariste. Depuis Hippocrate, l'essence de la relation médecin-malade repose sur la confiance qui s'établit entre eux deux. Le malade est assuré que son médecin ne divulguera rien de sa situation. Seule exception, la maladie à déclaration obligatoire délie le médecin de son secret. C'est un devoir de faire connaître l'occurrence de la maladie pour éviter à la société une épidémie qui entraînerait des milliers de morts…

Dans le cas évoqué ici de l'information sur une tare génétique familiale, ce secret médical, s'il est respecté, sert l'intérêt des parents du malade. En s'y tenant, le médecin gagne la confiance du patient, ce qui lui permet de lui faire comprendre l'intérêt de révéler à ses apparentés le risque qui peut les menacer. Le médecin ne possède ni la liste ni les adresses de ces apparentés. On l'imagine mal mener une enquête de police ou une recherche de généalogie pour les retrouver… C'est par la confiance établie avec son patient qu'il parviendra le mieux à le convaincre qu'il est de sa responsabilité, à lui malade, de son devoir, d'avertir ses proches.

En raisonnant de manière trop rapide ou superficielle, on serait tenté de penser que prendre en charge la diffusion de l'information revient au médecin. Ce serait une « pseudo-évidence hygiéniste ». En réalité, l'efficacité passe par le respect de la règle morale. Au début de la propagation du sida, on s'est rendu compte que les malades acceptaient de se faire dépister et soigner d'autant plus vite qu'on leur assurait ne pas révéler le résultat des tests. Garder le secret permet le respect des malades et va dans le sens d'une meilleure prévention. En effet, le lien ainsi tissé donne les meilleures chances au médecin de persuader son patient de prendre les mesures qui s'imposent pour préserver les siens et ceux (celles) qu'il aime.

Il en va de même en ce qui concerne la confidentialité des données génétiques. La respecter est un principe de base qui doit aller de pair avec une information claire et complète du malade. La connaissance d'une information génétique donne en effet un pouvoir sur autrui et, non partagée, aboutit à la fin de l'égalité. Au nom d'un principe de justice et d'égalité pour tous, les personnes doivent avoir accès aux données qui les concernent. Rien ne justifie a priori que le premier connaisse sur le second quelque chose que ce dernier ne sait pas. Dans la plupart des cas, la vérité n'appartient pas au médecin : elle doit être partagée puisqu'elle permet au patient d'assumer son autonomie. Cette information qu'en toute conscience le médecin doit à son patient, il faut bien entendu la formuler en toute humanité. Il s'agit là d'une obligation éthique. Il est impossible de se désintéresser des conséquences de ce que l'on dit. Informer est nécessaire, ne pas agresser sauvagement par des annonces brutales et insouciantes de la sensibilité du récepteur l'est aussi. En général, le médecin est sûr de lui, de sa maîtrise de l'art, peu inquiet pour lui-même, tandis que le malade se trouve déstabilisé par l'angoisse, la douleur et l'incertitude. Les deux situations ne sont pas symétriques. Faisons en sorte que l'autonomie que l'on confère au patient ne ressemble pas à celle que l'on laisse à un naufragé sur une île déserte !

L'immense crainte qui se fait jour dans notre société actuelle, c'est l'entrecroisement des dossiers. On peut croiser les images des caméras, la localisation des individus par leur portable, éventuellement leurs conversations, avec les données de leur dossier médical informatisé et la totalité des engagements qu'ils ont pris auprès des entreprises, des sociétés de crédit ou des banques, etc. On a accès à ses antécédents médicaux, à ses projets commerciaux, à ses contacts, à son casier judiciaire, à sa scolarité. Bref, le champ laissé à son autonomie se réduit comme une peau de chagrin. Comment empêcher que le recoupement de données ne confère à des autorités ou à des personnes un pouvoir excessif sur les individus ? Dans ce contexte, le secret médical devient lui-même un véritable chef-d'œuvre moral en péril. Il constitue pourtant le fondement de la relation médecin-malade, depuis Hippocrate. Manifestation de la loyauté du professionnel envers son patient, il est la clé de la relation de confiance dont l'établissement est si nécessaire à l'efficacité du traitement et à la transmission aux apparentés et aux proches d'une information qui les concerne.

Le diagnostic du sexe

Le développement des recherches en génétique humaine offre des outils d'une redoutable efficacité pour soumettre les embryons humains à un tri sur la base de caractéristiques non pathologiques, voire physiologiques comme le sexe. Le principe ici en cause, auquel j'ai déjà fait référence, est la nécessaire irréductibilité des caractéristiques de chaque individu à la volonté normative de tiers, fussent-ils les parents. La prédétermination par ceux-ci du sexe et de l'aspect d'un enfant à naître serait portée à son maximum par l'utilisation du clonage humain à visée reproductive, déjà évoqué.

Des études récentes ont montré à quel point le désir de prévoir le sexe des futurs enfants ne cesse d'augmenter en France. En Chine, en Inde, dans les pays arabes, la préférence des couples pour des enfants de sexe masculin aboutit à un « suravortement » des filles, avec à la clé un déséquilibre dangereux pour ces sociétés. Dans l'empire du Milieu, il y a déjà aujourd'hui 1,2 garçon pour 1 fille.

Dans nos pays, l'interrogation diffère. Quelle est la légitimité morale pour les couples d'avoir accès à l'information du sexe de l'enfant à naître ? L'éthique minimale libérale défend l'idée que connaître le sexe contribue à l'harmonie de la fratrie ou des familles : après quatre filles, vouloir un garçon serait légitime.

Les parents ont-ils le droit de dessiner l'enfant dont ils ont rêvé, de décider de son sexe, de ses qualités physiques ? Le droit des parents d'avoir un enfant n'est pas celui de décider de ses caractéristiques.

Un enfant est une personne à part entière, irréductible dans son essence à la volonté des parents. Être parents, n'est-ce pas aimer l'enfant que l'on a tel qu'il est plutôt que d'exiger de l'avoir tel qu'on le veut ? En ce sens, l'enfant est en danger, s'il n'est pas déconnecté des fantasmes des parents. Afin de garantir un périmètre d'incertitude biologique, la société doit selon moi limiter son intervention à des tests concernant les maladies graves et non l'élargir au choix de diverses caractéristiques. Être un garçon ou une fille n'est pas pathologique ! Accepter ce test, c'est ouvrir une première porte dans laquelle la société n'aurait plus guère de raison de ne pas s'engager, celle conduisant à une légitimation du choix par les parents, quand cela deviendra possible, des caractéristiques physiques de leurs enfants selon leur genre et leur aspect, la légitimation du désir d'« enfant à la carte », dont nous avons déjà parlé. Dans le paragraphe consacré au clonage thérapeutique reproductif (voir chapitre, page 151), nous avons en particulier déjà imaginé le sentiment d'une personne qui haïrait son corps, son sexe et mettrait tout en œuvre pour en changer, y compris le transsexualisme chirurgical. Cette situation est douloureuse ; à quoi cela aboutirait-il si les individus concernés connaissaient les coupables de leur malheur, ces parents qui leur auraient imposé un corps cause de tous leurs tourments et dont ils s'efforcent de s'échapper par tous les moyens ?

Les tests de paternité

La question de la filiation a déjà été évoquée à plusieurs reprises dans cet ouvrage. Il m'apparaît important d'y revenir de manière spécifique et plus en détail à propos des tests de paternité dont la pratique se répand, ce qui constitue un indicateur très significatif de l'évolution des coutumes et des références de la société moderne.

Les tests permettent aujourd'hui d'établir une filiation biologique avec une fiabilité presque totale, à partir de la comparaison entre le profil ADN d'une personne et celui de son ou ses ascendants.

Ma réflexion remonte à 1991 et 1992, époque où j'ai été chargé de suivre, en tant que commissaire du gouvernement, l'examen en première lecture du projet de loi bioéthique. Cette loi sera définitivement adoptée en 1994, après un changement de majorité. En matière de tests génétiques, j'ai expliqué aux autorités, puis aux parlementaires à l'occasion d'une interruption de séance nocturne, qu'il convenait de bien distinguer les articles concernant les tests de prédispositions génétiques à des maladies de ceux traitant des « empreintes ADN » utilisées à des fins d'identification et de filiation.

Dans la loi finalement adoptée, il sera précisé que seule une procédure judiciaire peut autoriser les tests de paternité qui exigent, pour être pratiqués, le consentement des intéressés de leur vivant. L'utilisation des ces empreintes génétiques doit être ordonnée par un juge dans un cadre strict : identification d'une victime ou d'un agresseur au pénal, affaire de filiation au civil.

En 1992, en 1994, et à nouveau en 2004 à l'occasion de la révision de la loi, députés et sénateurs, indépendamment de leur appartenance politique, ont voulu éviter à tout prix de ramener la structure familiale à son seul élément biologique. Ils ont donc refusé que le résultat d'un test biologique puisse remettre en question la réalité d'une famille humaine et la déstabilise. Il faut empêcher qu'un homme pris de soupçons prélève des cheveux ou un peu de salive à ses enfants pour vérifier qu'il en est bien le géniteur et tente de remettre en cause la paternité légale, dénonçant par là les liens affectifs qu'il entretient depuis des années avec un enfant qui voit en lui son père et qu'il voyait comme sa fille ou son fils. On est parents par le sang et par le cœur, les gènes et l'esprit, on peut l'être même en absence de filiation biologique, uniquement par le cœur et l'esprit, par le désir partagé d'élever un enfant, de l'aimer, de lui permettre de s'épanouir dans toute sa singularité. Une famille humaine est avant tout constituée par des adultes qui voient des enfants comme les leurs, les aiment comme tels, et d'enfants qui reconnaissent dans ces adultes leurs parents, papa et maman (parfois deux papas ou deux mamans dans les couples homoparentaux). Les liens du sang viennent en sus, ne sont pas indispensables.

Combien de familles, en France, en témoignent : familles recomposées après divorce, enfants adoptés, enfants reconnus par le père, sans parler des enfants nés à partir de dons de sperme, de dons d'ovocytes, des enfants nés d'accouchement sous X, les petits de mères ménopausées... Combien de familles françaises seraient disloquées si on les réduisait à leurs liens biologiques ? Que penserait un enfant si on lui disait qu'il doit être séparé de ses parents parce qu'on vient de découvrir qu'ils ne le sont pas au sens biologique du terme ? Ce serait aussi une manière de rétablir le concept de bâtardise en établissant une distinction entre les droits fondamentaux des enfants conformes, biologiques, et ceux de tous les autres.

Pourtant, se procurer un test de paternité sur Internet est presque aussi simple que d'acheter un test de grossesse en pharmacie. Prohibés en France, hors cadre juridique, ces tests sont à la portée de tous sur le Web. À en croire la presse, les Français en raffolent. Entre dix à vingt mille Français effectueraient chaque année un test de paternité à l'étranger. Il suffit de commander un « kit ADN », contenant des tiges munies de coton, et d'obtenir que le sujet accepte un prélèvement de salive. Ensuite, le résultat de cet examen, en principe fiable, permet d'établir scientifiquement un lien de parenté entre deux êtres. Bousculant le sentiment du législateur de 1992 et 1994, la vérité biologique tend à primer sur la filiation garantie sur parole. Une vérité qui peut bouleverser l'ordre établi par un couple et conduire à des conflits familiaux inextricables.

Pour certains, c'est un droit pour chaque enfant de connaître son histoire et de régler la question de ses origines. La vérité biologique va-t-elle l'emporter sur les liens affectifs existant entre un enfant et son géniteur supposé si tout le monde se met à exiger d'avoir la preuve que son père est bien le vrai ? Désormais, nul n'est à l'abri d'apprendre, même tardivement, que celui qui l'a choyé est biologiquement un étranger. Nombre d'hommes peuvent aussi s'attendre à se voir attribuer la charge d'un enfant dont ils ne connaissaient pas l'existence. Tel le prince Albert de Monaco, qu'une identification ADN a déclaré père d'un garçon et d'une fille nés de deux partenaires occasionnelles. La loi, qui n'autorise le test de paternité que sur décision de saisine par un juge, n'a cessé d'être battue en brèche, en particulier dans les affaires d'héritage. En principe, la valeur de tests de filiation obtenus hors saisine, à l'étranger par exemple, devant une instance judiciaire française est nulle. Cependant, de nombreuses affaires sont en réalité plaidées aujourd'hui pour lesquelles de tels examens constituent les pièces maîtresses.

Dans le débat toujours vif sur cette question de la nature authentique de la filiation humaine s'opposent deux principes, celui d'irréductibilité de la famille humaine à sa composante biologique et celui du droit de chacun à connaître ses origines. Il est indéniable que des personnes qui se savent n'être pas les descendants biologiques de leurs parents légaux – a fortiori des orphelins en institution – peuvent ressentir avec une grande détresse cette absence de racines et être poussées à tout faire pour les établir. La société se doit alors de les aider, dans le respect des motivations de géniteurs qui peuvent désirer n'être pas confrontés à ces descendants (accouchement sous X, par exemple). Dans ces cas, la loi française précise que des informations non identifiantes peuvent être fournies.

Cependant, l'idée se répand que la vérité biologique serait non seulement un droit à qui la réclame, mais encore une donnée qu'il serait essentielle d'imposer même à tous ceux qui ne se sont jamais posé la question. Les hommes et les femmes s'attirent, cela est notoire. Il n'est par exceptionnel qu'un homme, à l'occasion d'un voyage ou d'un congrès, succombe au désir d'une femme. Bien entendu, le symétrique est vrai. Pourtant, le couple peut n'être en rien déstabilisé par ces pulsions assouvies à l'occasion de brèves rencontres. Avant la diffusion de la contraception, dans ma jeunesse, 8 % des enfants en moyenne n'étaient pas biologiquement ceux de leurs pères légaux. Le chiffre est aujourd'hui de 3-4 %, témoignant sans doute d'une meilleure maîtrise par les femmes de leur fécondité. Peut-on au nom de je ne sais trop quelle vision intégriste de la vérité des origines, dynamiter ces familles, y installer le doute, la rancœur et la suspicion, assujettir le noyau familial et sa densité affective à un épisode bien banal de la vie des adultes qui le composent ?

L'intégrisme des origines s'inscrit bien entendu dans ce vaste mouvement de biologisation-génétisation de nos sociétés que cet ouvrage explore pan par pan. La suspicion quant à l'existence même d'une dimension psychique autonome, affective et amoureuse de la vie humaine, indépendante des déterminismes innés, c'est-à-dire de la nature et de son programme génétique, aboutit à l'intolérance à toute idée de filiation, de conduites, voire de pensées et d'actions, qui ne soient gouvernées par un destin programmé. De ce fait, les liens du cœur au sein de la famille apparaissent inconsistants s'ils ne reposent pas sur une transmission génétique, et les pratiques d'aujourd'hui en arrivent à contredire la pensée élevée du législateur d'hier.

ADN et immigration

En 2007 éclate l'affaire de l'amendement Mariani. Tout commence quand, le 20 septembre 2007, les députés adoptent le projet de loi sur la maîtrise de l'immigration de Brice Hortefeux (alors ministre de l'Immigration) dans lequel figure cet amendement ajouté par Thierry Mariani, député UMP du Vaucluse et rapporteur de la loi. Six jours plus tard, le 26 septembre, coup de théâtre, la commission des lois du Sénat rejette cet amendement et modifie le projet de loi en profondeur. Les jours suivants, le débat s'emballe.

Pourquoi ? L'amendement défendu par un député UMP, Thierry Mariani, prévoit que les étrangers candidats au regroupement familial pourront apporter une preuve de leur filiation par un test génétique. Si la polémique a explosé, c'est parce que ce texte de loi est immoral. Au-delà des débats légitimes sur la maîtrise des flux de migrations, appliquer aux familles étrangères des critères biologiques que le peuple français s'est interdit d'utiliser pour lui-même (loi de 1994 et 2004) est à l'évidence inacceptable.

Depuis, des modifications ont été apportées par le Sénat puis par le Conseil constitutionnel. Pour finir, le ministre de l'Immigration, de l'Intégration, de l'Identité nationale et du Développement solidaire, Éric Besson, s'est résolu en 2009 à enterrer ces dispositions. Il a déclaré ne pas vouloir signer le décret d'application, affirmant qu'il était impossible de respecter l'esprit et la lettre de la loi.

En prévoyant de limiter les tests ADN au lignage maternel, le texte de loi modifié par le Sénat continuait d'envoyer à nombre de femmes généreuses, notamment africaines, un message réfrigérant. La recherche de filiation biologique qui heurte de plein fouet la coutume d'adopter les enfants dont les parents sont morts à la suite d'un massacre, d'une famine, revenait à leur dire : « Si vous souhaitez rejoindre un jour votre mari en France, n'adoptez surtout aucun enfant, ou alors préparez-vous à les abandonner ! » Qui aurait subi de plein fouet la rigueur de cette loi, si ce n'est les enfants ?

Par ailleurs, et cette question rejoint celle évoquée dans le paragraphe précédent, la probabilité pour que certains des enfants des femmes demandant à rejoindre leurs maris ne soient point d'eux est élevée : le conjoint vit au loin, il voit son épouse à l'occasion de brefs voyages, elle est seule le reste du temps... Dans la première rédaction de l'amendement Mariani, ces situations auraient été dévoilées. Une telle divulgation de l'« infidélité » féminine, bien compréhensible en la circonstance, peut faire courir des risques considérables, y compris vitaux compte tenu de traditions culturelles qui, il y a peu encore, mettaient à mort les femmes adultères. Ce temps n'est d'ailleurs pas totalement révolu si on prend en compte le nombre de « crimes d'honneur » qui sont encore perpétués de nos jours.

De toute façon, l'idée de limiter le regroupement familial n'est pas la mesure adéquate pour réduire l'immigration en France. Les familles regroupées dans notre pays, ne comptent en moyenne que deux ou trois enfants. Il ne s'agit, en aucun cas, de familles très nombreuses, si bien que huit mille à douze mille personnes seulement sont concernées, chaque année, par cette procédure. On voit que, par rapport à l'immigration clandestine, ce flux migratoire reste très minoritaire.

Dans le débat qui a fait rage à l'époque, le gouvernement s'est défaussé de sa décision en la déclarant conforme aux pratiques de nombreux pays européens. Au Royaume-Uni, qui utilise le plus les tests génétiques en matière d'immigration, la mesure s'est révélée inefficace, car ce pays est bien loin d'avoir résolu la question de l'immigration sur son territoire. Ce sont les technocrates chargés de l'immigration qui ont eu l'idée d'avoir recours aux tests de paternité, les citoyens de ces pays n'ont pas été consultés. Mais la majorité des pays européens n'a-t-elle pas appliqué, pendant des décennies, des lois eugéniques promulguées dans les années 1920-1930 ? La France ne l'a pas fait et on voit aujourd'hui, aux yeux de l'Histoire, qui avait raison. Il n'empêche que cette tentative montre que le réductionnisme biologique gagne du terrain ! Il s'exprime ici par la volonté de maîtriser les flux migratoires par l'utilisation d'une forme de biométrie, exemple de plus de l'investissement de l'idéologie sécuritaire par le scientisme.

La génétique et la contre-utopie sécuritaire

Dans nos villes et dans nos campagnes, l'insécurité augmente. Pour y faire face, la science aurait trouvé des solutions : caméras, drones, tests ADN, empreintes, écoutes des téléphones portables, etc. L'insécurité, le terrorisme, le banditisme, les agressions sont autant de fléaux à combattre. Pourtant, faire reposer ce combat sur des solutions uniquement techniques – détecter les prédispositions innées, « traiter » les tarés, les isoler, se barricader, réprimer – est sans espoir, nous l'observons chaque jour. Science et technologie progressent de plus en plus vite, l'insécurité aussi ! Personne ne conteste que la science puisse améliorer le sort des gens. Pour cela, néanmoins, il lui faut un projet au centre duquel se trouve l'homme. Ce que j'appelle la contre-utopie sécuritaire et son cortège de mesures ne garantiront jamais à eux seuls la sécurité, c'est un leurre. Malheureusement, si l'on n'est pas vigilant, (et même peut-être en l'étant), cette idéologie est appelée à marquer des points.

Autre utilisation des tests génétiques, l'identification et la recherche des auteurs d'infraction, ainsi que celles de personnes disparues dans le domaine pénal. Il existe un fichier national automatisé qui centralise les empreintes génétiques issues des traces biologiques ainsi que celles des personnes condamnées pour certaines infractions. Grâce à ce fichier, de nombreuses affaires criminelles ont été résolues, des violeurs et des assassins ont de la sorte été identifiés. Des personnes injustement soupçonnées, par exemple de viol, ont pu être innocentées. Nul ne peut regretter en soi des moyens raffinés qui permettent de confondre les coupables et de disculper les innocents.

Cependant, l'existence de ce fichier et d'autres en cours de constitution soulève une série de questions. Quel matériel conserver : les empreintes seulement (c'est-à-dire le « code-barre » caractéristique) ou l'ADN lui-même ? Qui le conserve ? Ce registre confidentiel des données dont la gestion est soumise à de nombreux contrôles offre des potentialités qui ont de quoi inquiéter. En effet, les empreintes génétiques identifiantes ne donnent en elles-mêmes aucune indication sur la qualité des personnes concernées. Cependant, l'ADN à partir duquel elles sont établies recèle bien d'autres données sur les déterminants des personnes, certaines de leurs caractéristiques, leur sexe, la probabilité de leur appartenance ethnique, etc.

Que se passerait-il si notre société devenait totalitaire ? Le spectre de Big Brother créé par George Orwell dans son ouvrage *1984* n'a pas fini de nous hanter.

6

L'esprit, les neurosciences et l'éthique

Impressionner autrui, manipuler ses comportements, est une des bases de la communication entre les
êtres humains. Et ce, depuis que l'humanité existe. Cette
manipulation est multiforme : ce peut être la séduction
sexuelle qui consiste à créer le désir chez l'autre. Par la
parole, par l'apparence... Avec des peintures corpo-
relles, l'homme a cherché à augmenter l'effet qu'exerçait
son corps sur l'esprit d'autrui. De telles décorations peuvent
renforcer l'attirance et rassurer ou, à l'inverse, effrayer
les ennemis ou les esprits dangereux. Suivant qu'on est
guerrier ou chamane, on n'adopte pas la même apparence. Les sociétés, elles aussi, essaient de manipuler les
comportements de leurs membres. Quand elles se sont
développées au cours de l'histoire, le prestige du chef a
continué de passer par son charisme, autrement dit sa
capacité à manipuler ses troupes et les foules. Dans *Jules
César* de Shakespeare, l'un des morceaux de bravoure
est, après l'assassinat de César, l'extraordinaire « éloge »
qu'en fait Marc Antoine par lequel il parvient à retourner
le peuple grâce à son éloquence manipulatrice. L'idée de
l'action sur l'esprit d'autrui est au cœur de la vie humaine
en société

Assujettissement des conduites

Voilà pourquoi, à chaque avancée dans la compréhension du fonctionnement de son cerveau – d'abord de façon empirique, puis scientifique – l'homme s'est posé la question de savoir comment agir encore plus efficacement sur le psychisme d'autrui. C'est aussi pourquoi, aujourd'hui, le champ des neurosciences pose de nouvelles questions éthiques.

Depuis des dizaines de milliers d'années, on recourt à des drogues pour influencer l'esprit – pour acquérir de la résistance et moins souffrir physiquement ou mentalement (on mâche des feuilles de coca dans les Andes, par exemple), pour exalter la force mentale ou atténuer la peur du danger (champignons hallucinogènes, qat...), etc. Grâce à la chimie, on s'est efforcé de purifier ou de synthétiser les molécules actives de ces plantes, et les drogues actuelles (cocaïne, LSD, ecstasy...) ont fini par être élaborées. La compréhension même de l'organisation cérébrale a été aussi à l'origine d'expériences d'un nouveau genre. Après avoir observé la modification des comportements secondaires à certaines lésions (pathologiques ou accidentelles), les médecins ont pensé qu'il pourrait être utile d'en reproduire certaines à des fins médicales. C'est ainsi qu'ont été tentées des expériences chirurgicales comme la lobotomie : pratiquée sur des malades psychotiques, cette chirurgie est apparue comme susceptible de libérer les malades des contraintes que leur imposait la maladie mentale. Mais ce fut un douloureux échec : les individus lobotomisés ont été transformés en zombies sans passion ni intérêt pour quoi que ce soit.

Aujourd'hui, l'intrusion dans le cerveau, que ce soit par la chimie ou au moyen d'instruments divers, demeure plus que jamais d'actualité. En nous efforçant de lutter contre certaines maladies, nous ne cessons de renforcer notre arsenal médical et technique. On a commencé par découvrir qu'on pouvait lutter de façon très efficace contre la maladie de Parkinson (tremblements puis rigidité progressive dus à la destruction de la « substance noire » dans le cerveau), en implantant des électrodes capables de stimuler électriquement le cerveau. Cette électrostimulation fait disparaître les tremblements, semble retarder l'aggravation de la maladie, ce qui permet au patient de recouvrer un temps une vie quasi normale, de le sortir de sa dépendance et souvent d'une profonde angoisse. Plus récemment, on a pu constater que cette électrostimulation pouvait même être utilisée dans d'autres affections. Elle donne ainsi des résultats spectaculaires sur les personnes affligées de TOC. Ces troubles obsessionnels compulsifs peuvent être un handicap terrible qui condamne certains malades à être, par exemple, obsédés par l'ordre et la propreté (ils se lavent les mains cinquante fois par jour), à vivre dans une permanente anxiété (ils retournent vingt fois chez eux pour vérifier qu'ils ont bien poussé le loquet…).

Mais qu'a-t-on remarqué en développant ces travaux ? Qu'il fallait une rigueur extrême lors de l'implantation des électrodes, que cette introduction d'un instrument dans le cerveau exigeait des mesures très précises, en utilisant la technique de stéréotaxie, méthode qui permet un repérage minutieux des structures cérébrales en trois dimensions. En effet, on a vu qu'en bougeant de quelques millimètres les électrodes, on pouvait plonger certaines

personnes dans des dépressions qui dans des cas raris-
simes ont conduit au suicide. Une équipe de recherche
française a décrit cet épisode où une personne se mettait
à pleurer tout en ressentant une angoisse épouvantable
lorsqu'on stimulait les électrodes. Tout cela disparaissait
brusquement à l'arrêt de la stimulation et le malade rede-
venait alors calme et enjoué. On pense être en mesure,
dans l'avenir, de commander à distance, par des ondes
extracorporelles, cette stimulation, voire de se passer un
jour d'électrodes implantées, ce qui indique à quel point
notre capacité à manipuler les comportements d'autrui a
acquis et acquerra une puissance extraordinaire.

Une question majeure s'impose alors : jusqu'où ces
connaissances remarquables, qui permettent de soigner,
mais débouchent dans le même temps sur une technique
de contrôle des comportements, sont-elles acceptables
d'un point de vue moral ? Selon quels critères devien-
nent-elles inacceptables ?

Au départ, chercheurs et médecins ont eu pour
objectif de libérer de leur enfermement pathologique des
personnes malades (TOC, schizophrènes…). À l'arrivée,
on voit qu'il est tout à fait possible de poursuivre d'autres
buts, dont un assujettissement des conduites. Jusqu'où
aller ? Jusqu'où peut-on s'arroger le droit d'intervenir ?
Alors même qu'ils ont mis au point une technique remar-
quable, les scientifiques se retrouvent face à une question
cruciale : celle de leur responsabilité. Comment peuvent-
ils faire un bon usage de cette technique de soins et combattre légitimement certaines maladies ? Et comment
doivent-ils en éviter les dérives, les usages dangereux ?
D'autant qu'aujourd'hui les perspectives techniques vont
bien plus loin que la seule implantation d'électrodes.

Répondre à ces questions soulevées par le progrès des neurosciences et des techniques de modification du psychisme et des conduites exige de se remémorer la mission que j'ai assignée à la réflexion et aux lois de bioéthique : préciser ce qu'il y a d'essentiel dans l'humanité de l'homme et qui peut être menacé par le développement des moyens d'action découlant des avancées technoscientifiques. Ces valeurs à préserver dérivent du principe de réciprocité qui conduit à reconnaître comme évidente la « qualité » de l'autre, à sauvegarder son autonomie, à lui témoigner de la solidarité et à se comporter avec lui de façon juste. Ce sont ici les principes d'autonomie, de bienveillance à son égard et de protection contre toute malveillance, qui s'imposent.

L'intervention sur l'esprit est de la sorte justifiée lorsqu'elle est libératrice, atténuant les symptômes de la maladie de Parkinson, réduisant la tyrannie des troubles obsessionnels compulsifs aussi bien que les hallucinations des psychotiques. En revanche, lorsque la finalité du même type de méthodes que celles employées dans un objectif thérapeutique est de prendre le pouvoir sur la volonté et les conduites d'autrui, nous sommes face à une agression évidente perpétuée à l'encontre de l'autonomie des personnes, c'est-à-dire à ce que doivent à tout prix s'efforcer d'éviter les lois et les règlements de bioéthique. Or les périls sont de plus en plus évidents.

Neuroéconomie et idéologie techniciste

Le recours aux appareillages et aux techniques permettant de voir le cerveau en fonctionnement connaît déjà des développements problématiques. L'idéologie techniciste a ainsi créé une nouvelle tendance – en parfaite phase avec le libéralisme triomphant – qui a pour nom « neuroéconomie ». La neuropolitique émerge. Sous cette appellation de neuroéconomie se regroupent des travaux de plus en plus nombreux qui consistent à « objectiver » les comportements de l'*Homo economicus*, à trouver des bases génétiques ou neurobiologiques aux mécanismes qui poussent l'individu à suivre telle ou telle stratégie à la poursuite de ses intérêts. Les modèles sur lesquels travaillent les économistes se fondent sur le comportement des individus, vus comme des « agents autonomes et rationnels » qui s'efforcent de maximiser leur intérêt. Le but de la recherche est d'aboutir à une explication scientifique de cette rationalité. Des données scientifiques nouvelles seront obtenues, espèrent-ils, grâce à la visualisation que permettent les nouveaux systèmes d'imagerie médicale fonctionnelle (IRMf[1]), enregistrant des images du cerveau en train de penser, de prendre une décision, de se réjouir de telle ou telle situation ou bien de la rejeter. Ces images, on le sait, traduisent l'afflux sanguin vers telle ou telle zone du cerveau particulièrement sollicitée et indiquent celles où l'influx nerveux abonde.

La puissance de la méthode est illustrée par la démonstration spectaculaire d'une activité cérébrale de

---

1. Imagerie par résonance magnétique fonctionnelle.

type consciente chez des malades plongés dans ce qui semble être un profond coma. En effet, l'IRMf détecte parfois l'activation des zones encéphaliques normalement impliquées dans la réponse consciente d'un sujet éveillé à une stimulation particulière alors que cette dernière est appliquée à une personne sans aucune réaction apparente. Penser à la possible richesse de l'univers mental de patients dans cet état donne le vertige et bouleverse l'approche de la conduite la mieux adaptée à ces situations. En effet, poser l'hypothèse d'une fin de vie désirable conduit alors à se demander ce que, peut-être, ce malade est capable d'en penser lui-même et qu'il ne peut exprimer.

Pour en revenir à l'utilisation de l'imagerie fonctionnelle en neuroéconomie, le repérage des régions cérébrales activées chez des personnes engagées dans une réflexion et des actions d'ordre économique rend possible une modélisation *in silico* des comportements analysés, par exemple des circuits conduisant le client à l'achat, ou bien le partenaire à, selon les cas, des attitudes loyales, confiantes, ou trompeuses et déloyales.

Dans cette veine se développent des recherches ayant pour objectif de mettre en évidence, par exemple, des « structures cérébrales » particulières qui piloteraient certains comportements précis – tout particulièrement la motivation.

Sont ainsi proposés toutes sortes de tests, permettant de mesurer comment le consommateur réagit à telle ou telle proposition (achat de produit, réaction d'attirance ou de rejet selon le type et la forme d'annonces télévisuelles). C'est là le moyen de rendre les campagnes promotionnelles plus efficaces, prétendent les tenants de ce type de recherche.

Dans une autre direction sont étudiés les circuits qui sont associés à l'espoir d'un profit immédiat. Ou encore les mécanismes cérébraux à l'œuvre dans l'élaboration d'une stratégie plus complexe conduisant à une probabilité de profit différé mais plus important. En d'autres termes, il serait possible de mettre en évidence des mécanismes « précâblés » chez l'homme, donnant les clés de son comportement d'*Homo economicus*... La démarche a pris une telle importance qu'aux États-Unis, dans presque toutes les équipes de campagnes promotionnelles, on trouve des spécialistes des neurosciences. Et de plus en plus de petites sociétés privées proposent déjà des tests permettant de visualiser les zones mises en action dans le cerveau, quand le consommateur choisit tel ou tel produit...

Le champ de la neuroéconomie est le pendant de la génétique des conduites et des comportements, ils procèdent l'un et l'autre d'une même vision sociobiologique : l'être et l'agir humains sont programmés, leurs programmes commandent, d'une part, la perpétuation et la prolifération des individus, d'autre part, la poursuite par chacun d'entre eux de leur plaisir et de leur intérêt. C'est l'optimisation de ce dernier qui sous-tend les précâblages à la base des réactions et des actions d'*Homo economicus*. Les circuits neuronaux établis (« précâblés ») constituent les médiateurs neurobiologiques de la programmation génétique (l'inné) ajustée à la marge par l'empreinte de la vie (l'acquis, ce que l'on nomme aussi l'« épigénétique »).

C'est le simplisme réducteur de cette vision ultra-déterministe qui mérite d'être critiqué, et non pas, bien entendu, la légitimité de la recherche sur les mécanismes et les structures impliquées dans les manifestations de l'esprit. Établir des corrélations entre la réalisation d'une tâche, le ressenti d'émotions ou la prise d'une décision d'une part, les zones de l'encéphale activées d'autre part, donne d'importantes informations sur les plans pathologique et physiologique : mieux comprendre les symptômes des lésions du cerveau, disséquer les composantes fonctionnelles et anatomiques d'une conduite complexe. En revanche, les corrélats de la pensée (corrélats génétiques, cellulaires, neurobiologiques et anatomiques) ne doivent pas être confondus avec la pensée elle-même, qui mérite d'être étudiée aussi indépendamment des structures matérielles qui en permettent la manifestation. On aboutit sinon à des propositions qui sont de l'ordre de l'enfantillage.

Ainsi une étude de neuroéconomie basée sur l'IRMf a-t-elle en effet montré, comme évoqué ci-dessus, que les structures cérébrales impliquées dans l'espoir d'un gain immédiat étaient différentes de celles activées lorsqu'un agent autonome anticipait un profit élevé mais différé d'une stratégie complexe. Ces travaux étaient interprétés comme comportant l'idée d'une préprogrammation d'*Homo sapiens* pour l'une et l'autre de ces stratégies économiques. En réalité les résultats de l'expérience sont d'une grande banalité et, à la limite, il n'était pas indispensable de recourir à l'IRMf pour les anticiper. Je suppose que les structures cérébrales activées chez un monsieur mis en face d'une belle femme dénudée et consentante, ou bien celles d'un homme cherchant comment parvenir à séduire une religieuse cloîtrée et élaborant pour ce faire des stratégies plus ou moins compliquées, seront elles aussi bien différentes, sans doute d'ailleurs en partie communes avec celles mises en évidence dans l'étude de neuroéconomie que je viens de décrire. Rien dans tout cela ne renforce l'image d'un *Homo economicus* étroitement prédéterminé.

Selon l'idéologie techniciste, il serait devenu possible de résoudre avec des appareillages et la mesure de paramètres cérébraux tous les problèmes que se sont jusqu'à présent efforcées de traiter la psychologie et les sciences humaines. Pour cette vision, ce qui compte, c'est de comprendre comment le génome et le cerveau fonctionnent. À partir de là, il devrait être possible de repérer et de prévoir les comportements, et, pourquoi pas ? de mieux en mieux les moduler, voire les assujettir. On imagine sans peine ce qu'un homme politique aimerait faire de ce pouvoir. S'il est convaincu de l'efficacité de certaines images, capables par exemple de provoquer chez un peuple un grand mouvement d'inquiétude suivi d'enthousiasme et de désir d'adhésion, il en fera sûrement usage... Le libre arbitre des individus ne risque-t-il pas d'être réduit à la portion congrue et la démocratie mise en péril ?

En réalité, et heureusement, il y a quelque chose d'illusoire dans cette approche techniciste de la neuroéconomie ou d'une éventuelle neuropolitique. Il s'agit plutôt d'une illusion techniciste ! Avec les appareillages d'imagerie cérébrale, certains prétendent qu'ils vont nous faire voir la pensée, les mécanismes complexes de la prise de décision, de l'adhésion à telle ou telle idée, etc. Ils vendent à d'autres l'espoir de savoir manipuler les comportements, mais... ne réinventent-ils pas la poudre ? Il suffit de repenser à Hitler, Mussolini ou Staline pour être certain qu'il n'y a pas besoin d'une débauche technique pour enflammer des foules. Le savoir-faire de tous les spécialistes du marketing, des agences de publicité, des agences de communication politique ne leur donne-t-il pas déjà un pouvoir important sur les comportements humains ? Plus inquiétante est l'énergie consacrée à découvrir ce qui rend le citoyen dépendant et manipulable.

Ces errements ne doivent en revanche pas masquer les vraies grandes avancées actuelles : des phénomènes cérébraux très complexes sont effectivement mieux compris grâce aux nouvelles méthodes d'imagerie fonctionnelle (IRMf). Ce serait une grave erreur de faire abstraction des apports des sciences cognitives qui tentent aujourd'hui d'établir les corrélations entre les activités diverses que nous avons (intellectuelles, amoureuses, etc.) et les régions du cerveau qu'elles mobilisent. Par exemple, on a pu découvrir que deux niveaux de circuiterie coexistaient dans le traitement des actions. Il y a celles qui restent au niveau réflexe. Le cortex ne les traite pas, le cerveau n'utilise dans ce cas que des circuits passant par des noyaux centraux, le tout de façon très rapide, ce qui permet des réactions quasi immédiates. Il s'agit de mécanismes essentiels à la vie quotidienne dont la mise en œuvre n'est le plus souvent pas consciente : on peut conduire sa voiture tout en discutant avec sa voisine, on marche en buvant un soda, on évite de marcher sur le pied de son voisin dans le métro...

Pour d'autres actions, au contraire, notamment lorsqu'il s'agit de prendre des décisions à propos de situations nouvelles, l'important ne réside plus dans l'extrême rapidité de réaction. Ce qui compte, c'est que les sensations et perceptions passent par un traitement efficace au niveau cortical, car il s'agit d'élaborer la solution la mieux adaptée et cela exige la mobilisation de nombreuses images mentales et souvenirs emmagasinés dans le cerveau : c'est le domaine de la créativité, du traitement de la nouveauté. Avec l'imagerie cérébrale, il devient possible de préciser le substratum anatomique qui correspond aux observations des psychologues classiques. Pensons à un individu qui se rend à un spectacle. Il voit ce qui se passe sur scène, il est sensible à ce qui s'y raconte. On peut désormais repérer les structures cérébrales impliquées dans les *stimuli* visuels, leur traitement cérébral, leur enrichissement associatif et celles qui jouent un rôle dans les émotions qu'il ressent. Ultérieurement, on pourra suivre le souvenir qu'il aura du spectacle, à la fois émotionnel et intellectuel, souvenir qui sera restitué après détour des informations initiales par ses structures préfrontales – le cortex « préfrontal » qui s'est beaucoup développé chez *Homo sapiens*.

Il faut noter à quel point ces observations ont permis d'analyser de façon nouvelle le vieux débat philosophique qui s'interroge sur les rapports entre passion et raison. Sont-elles opposées ? S'excluent-elles ? Les découvertes des neurosciences ont apporté une nouvelle réponse, en montrant que le cerveau ne raisonne pratiquement jamais sans demeurer en interaction forte avec une structure fondamentale pour le traitement des émotions, comme les amygdales. Autrement dit, pas de pensée raisonnée sans un fondement émotionnel. Mieux, qui n'aurait pas d'émotions ne pourrait pas véritablement exercer sa raison.

On comprend également de mieux en mieux ce que sont les circuits dits de la récompense. Certains correspondent aux mêmes aptitudes innées que celles des animaux : boire quand on a soif, apaiser sa faim ou ses envies sexuelles... Mais on s'est rendu compte que, dans le même temps, il était possible que des images préfrontales soient activées. Ce qui signifie, par exemple, que ce que nous voyons essentiellement comme une activité morale – se mettre au service de l'autre, protéger quelqu'un... – peut aussi activer un circuit de satisfaction. En clair, on peut repérer le fonctionnement d'un circuit du plaisir associé à cette activité.

Cet énoncé est évidemment schématique, il n'empêche que les observations scientifiques récentes jettent un éclairage nouveau sur notre fonctionnement cérébral. À condition, bien entendu, que nous ne passions pas aux extrêmes en prétendant qu'ainsi nous avons déchiffré le langage de l'esprit ! Et en affirmant que l'esprit, dans toutes ses manifestations, serait réductible à ces structures mobilisées pour qu'il se manifeste. Si l'on suivait cette conception, ce qui provoque une émotion esthétique, par exemple la vision d'un tableau de Vermeer, l'écoute de la musique de Bach... pourrait être expliqué par une connaissance parfaite des éléments matériels sur lesquels cette émotion s'appuie. C'est ce qu'avancent certains neuroscientifiques, dont je ne partage pas du tout la conviction réductionniste, selon laquelle un jour, avec l'amélioration des techniques, on pourra lire à livre ouvert dans les pensées... voire les connaître mieux que la personne qui les a.

On touche même là au Saint-Graal de l'utopie techniciste, ce par quoi elle débouche de façon naturelle sur le mythe de la posthumanité : la connaissance objective des ressorts de l'humain à laquelle mènent, en particulier, les neurosciences, conduit à la réalité de l'homme, à son essence authentique, lui-même dans sa pseudo-réalité n'étant qu'illusion. Ainsi la science est-elle amenée à savoir mieux, beaucoup mieux que les personnes elles-mêmes, ce qu'elles pensent et ce qu'elles doivent vouloir et faire.

Sous cet aspect un tel dessein rejoint celui de tous les totalitarismes qui s'efforcent de plier les volontés individuelles à l'évidence de ce qu'elles doivent être, et se fixer pour objectif. Les récalcitrants sont éliminés, soignés (en hôpital psychiatrique), transformés par la technologie en des citoyens posthumains dotés, grâce à la technique, des moyens d'atteindre les standards du progrès et de s'y confirmer. En bref, cette analyse est la manifestation moderne du vieux courant philosophique du fatalisme pour lequel la liberté est une illusion.

Neurosciences et liberté

Il est important que l'on s'efforce de comprendre parfaitement toute la matérialité de notre cerveau, de déchiffrer la complexité de ses mécanismes de fonctionnement mis en jeu lorsque l'esprit s'exprime. Mais j'estime que cet esprit présente des particularités irréductibles à toutes les conditions de son expression. Selon Hegel, la chouette de Minerve ne s'envole qu'au crépuscule. Pour reprendre sa métaphore, gageons que lorsqu'elle prend son envol, son vol n'est pas réductible aux conditions initiales du perchoir et aux événements du jour ! L'approche neurobiologique ne suffit pas, l'esprit a son autonomie et doit être étudié en soi. Ce qui me conduit à m'opposer à cette idée que la pensée éthique elle-même serait réductible à des processus neurobiologiques dont l'étude et la connaissance seraient appelées dans l'avenir à remplacer la philosophie morale.

C'est là un nouvel exemple de la transposition des thèses sociobiologiques de l'Américain Edward O. Wilson dans le champ des neurosciences. Dans la théorie de Wilson, proche des travaux du spécialiste britannique de l'évolution Richard Dawkins, les êtres humains ne seraient qu'un artifice permettant à leurs gènes – les gènes égoïstes – de se disséminer au mieux. L'esprit et la pensée ne seraient, nous l'avons vu, qu'une illusion au service de la réalité d'un cerveau perçu en tant que moyen de la manifestation du pouvoir des gènes. Les compositions de Mozart sont, selon cette analyse, des ruses mises en œuvre par les gènes du musicien à seule fin de conquérir les cœurs, de s'accoupler et de féconder des femmes, disséminant de la sorte ses gènes « égoïstes » à travers ses descendants. Quand on a affirmé cela, on a fait peu de progrès dans la compréhension de la créativité et du génie de Mozart !

Cette vision déterministe de l'esprit renoue avec l'idée vieille de deux mille ans que la liberté est une illusion. Pour les stoïciens comme pour Spinoza, Diderot et de nombreux autres philosophes, la liberté n'existe pas. Selon Nietzsche, la liberté réside en notre ignorance des mécanismes qui gouvernent notre action. Pour la sociobiologie, les gènes égoïstes ont un pouvoir tyrannique sur les êtres vivants. Un très célèbre et talentueux neurobiologiste comme Jean-Pierre Changeux est proche de ces visions. Pour lui, la neuroéthique devrait progressivement supplanter les autres approches de l'éthique. Lui aussi est persuadé qu'il sera bientôt possible de connaître en détail la pensée grâce à l'exploration par IRMf et par d'autres techniques développées par les neurosciences. En matière de productions de l'esprit, il renoue ainsi avec le démon de Laplace. Le mathématicien, astronome et physicien du XVIIIᵉ avait en effet émis l'hypothèse que, si un démon omniscient existait, qui connaîtrait toutes les lois de la nature et tous ses détails jusqu'à la moindre particule, alors rien ne pourrait être ignoré du futur. En langage d'aujourd'hui, on dirait que si on connaissait tous les gènes et toutes les empreintes environnementales, alors on pourrait tout prévoir d'un individu. Et la notion de liberté ne signifie rien. Conséquence : dès deux-trois ans, il deviendrait possible de détecter des délinquants futurs, la volonté individuelle ne pouvant pas grand-chose à l'affaire, n'ayant en tout cas pas la possibilité de changer le cours des choses !

Il faut bien se rendre compte que cela ne peut pas être si simple. Même en imaginant que nos actions soient totalement déterminées par un mélange entre nature (nos gènes) et culture (l'environnement), que ce mélange conduise inéluctablement à ce que nous penserons et ferons, il faut prendre en compte la complexité d'un tel système. Pareille complexité oblige à raisonner en termes de modèle chaotique. Autrement dit, même des éléments apparemment mineurs du système peuvent parvenir à le modifier de façon considérable. En l'occurrence, telle ou telle pensée pourra conduire à une empreinte intellectuelle qui, une fois appréhendée de manière consciente, imprimera à son tour sa marque, parfois de façon cruciale, sur les pensées ultérieures. Même dans un système déterministe, où toutes nos actions contribuent à moduler notre cerveau, une toute petite variation conduit à un très large éventail de possibilités. En raisonnant comme a pu le faire le mathématicien Benoît Mandelbrot, spécialiste du chaos, on comprend qu'un même système peut évoluer vers des situations et des états très différents.

Une confusion grossière parasite en effet les esprits : la réversibilité du principe de causalité. Pour un scientifique, tout phénomène étudié a des causes. Cela est vrai mais ne signifie pas en revanche que les causes initiales évoquées ne puissent conduire qu'à une et une seule conséquence.

Une autre confusion, plus banale, devrait être également écartée par les spécialistes, celle qui consiste à confondre cause et corrélation. Rapportons une observation réelle reproduite par plusieurs équipes de neurosciences. Plusieurs objets sont présentés à un volontaire qui doit les retenir et les décrire à distance de l'expérience. Son activité cérébrale est étudiée en parallèle par IRMf. La présentation de certains objets déclenche des émotions agréables (évocation d'un être aimé, d'un parent, du pays natal…) ou désagréables (frayeur, souvenir d'un épisode pénible, d'une grande peine). Les zones du plaisir ou du stress, en particulier l'amygdale, sont activées lorsque naît une émotion. On observe que la mémoire est alors de bien meilleure qualité que pour des objets qui laissent la personne testée indifférente. Cela suggère que l'émotion renforce l'attention et l'empreinte laissée par le spectacle considéré, ce qui est une déduction fort intéressante. En revanche, de tels résultats ne signifient certes pas que l'augmentation du flux sanguin dans l'amygdale est la cause de l'émotion et du renforcement mnésique.

Le « savoir est pouvoir », a écrit le philosophe et homme politique anglais du XVIIIe siècle Francis Bacon, et cela prend une signification particulière dans le domaine des neurosciences et sciences de l'esprit. En effet, le pouvoir dont il s'agit est celui de se rendre « maître et possesseur » – expression empruntée à Descartes – de la fonction humaine la plus caractéristique, celle de penser.

La connaissance est en ce domaine aussi légitime qu'en tout autre, elle est cependant plus qu'ailleurs connectée à l'originelle pulsion d'*Homo sapiens* à manipuler l'esprit d'autrui, de manière empirique depuis sans doute des dizaines de milliers d'années, grâce au savoir scientifique et technique aujourd'hui. Or la préservation chez l'autre d'une autonomie à laquelle on est soi-même attaché est au cœur du devoir de réciprocité dont je fais le noyau de la pensée morale. Ces questions, que l'on aborde moins – et cela est incompréhensible – que celles liées à la procréation et à l'embryon dans les débats éthiques modernes, sont pourtant autrement cruciales pour l'humanité de l'homme.

Les conduites à tenir lorsqu'on est confronté à l'explosion des techniques d'assujettissement de l'esprit sont d'autant moins évidentes que le dessein de manipulation mentale d'autrui est aussi vieux que l'émergence de l'humanité. Pour le médecin, la finalité est énoncée de façon simple, elle est de libérer, jamais de contraindre. C'est en dehors du soin que tout se complique. La pensée morale ne disqualifie bien sûr pas la séduction, le prestige naturel, le charisme, la promotion d'un produit et les attitudes, qui y sont liés ; pourtant, il s'agit dans tous les cas de prendre un ascendant sur les pensées d'autrui. En effet, l'échec de ces tentatives sur qui s'y révèle réfractaire est en principe accepté comme une éventualité inévitable. Lorsque cet insuccès est vécu comme un scandale qu'il importe à la technique d'éviter, c'est-à-dire lorsque ceux sur qui s'exercent ces pressions n'ont plus la possibilité réelle d'y échapper, alors bien sûr l'humanité de l'homme est violée, la personne est objectivée, l'agent autonome a cessé de l'être.

Liberté et addiction

J'ai rappelé au début de ce chapitre, l'ancienneté et la diversité de l'usage des drogues. Ces pratiques n'ont jamais cessé, elles se sont internationalisées et sont devenues un problème majeur de société. La consommation de drogues peut être vue comme une liberté individuelle mais aboutit souvent à la soumission du drogué à d'impitoyables contraintes. Il s'agit là de ce fait d'un problème éthique d'une particulière complexité.

La liberté, quel mot, quel idéal ! Pour la conquérir ou la défendre, des millions de personnes ont donné leur vie. Les poètes et les tribuns l'ont chantée et vantée, les philosophes s'efforcent de la cerner depuis des millénaires. L'image mythique en est celle d'un être libre, autonome, agent moral décidant en conscience et en toute connaissance des actions à mener, censées refléter son « moi » profond, maître de ses passions et de ses pulsions en toute indépendance des contraintes extérieures, celles des hommes comme des circonstances.

Il s'agit là en fait d'un mythe qui, même s'il constitue le cœur des pensées kantienne et existentialiste, ne peut guère être admis en l'état. Dans la réalité, la personne qui agit est elle-même soumise à des influences multiples dont certaines ont déjà été abordées dans cet ouvrage : physiologiques, sexuelles, culturelles et éducatives, événementielles passées et présentes, etc. Chacun a hérité de ses ancêtres non humains des instincts sélectionnés par l'espèce en ce qu'ils confèrent un avantage dans la « lutte pour la vie », c'est-à-dire constituent un « intérêt », recherché en parallèle au plaisir, les deux étant souvent confondus ou liés : bien manger, bien boire, se reproduire, être à l'abri de la douleur et du stress, etc.

Simplement, le développement des capacités mentales et du psychisme chez *Homo sapiens* lui donne la capacité de s'interroger sur ses motivations, sur les actions qu'il projette et d'en modifier ainsi parfois le cours. En d'autres termes, la « volonté libre » devient un nouveau déterminant des conduites humaines qui, non pas remplace les autres ressorts liés à la satisfaction des besoins et des envies, mais se surajoute à eux. Nous venons de voir en quoi les progrès rapides réalisés en neurosciences et sciences cognitives ont permis de mieux préciser les corrélats moléculaires, cellulaires et physiologiques de la décision. Les résultats acquis confirment ce faisant les intuitions anciennes des philosophes sceptiques quant à son autonomie réelle, y compris en ce qui concerne sa part appréhendée comme relevant de la « liberté irréductible de l'être ».

Il n'est pas question ici de reprendre, pas même de résumer un débat philosophique multimillénaire entre les tenants de la liberté existentielle, apanage fondamental de la nature humaine, et les fatalistes déterministes pour lesquels seule l'ignorance des mécanismes et des causes de nos actions nous donne l'illusion d'être libres. Quelle que soit l'analyse de chacun sur cette énigme du libre arbitre, tous pourront se retrouver sur l'exigence éthique de faire le maximum pour desserrer l'étau des déterminismes, élargir le spectre des possibles et dégager de la sorte un espace où puisse s'épanouir la liberté ou du moins ce qui est ressenti comme tel. À ce titre, la dépendance aux drogues et pratiques diverses place la société devant un dilemme classique. D'un côté, l'idéal moderne du respect strict de l'autonomie des personnes, dès lors qu'elle ne constitue pas une menace pour autrui, conduit à la tolérance des conduites individuelles. D'un autre côté, ne pas se préoccuper de la dépendance tyrannique dans laquelle tombent tant de consommateurs, ne rien faire pour les aider à recouvrer leur indépendance, relève d'une indifférence à l'autre qui contrevient au plus universel des principes éthiques.

L'attitude correcte en ce domaine, la « voie bonne » dont parle Aristote, est des plus incertaines et malaisées à mettre en œuvre. En effet un continuum existe entre une pratique qui procure des satisfactions – qui ne les recherche ? –, une quête compulsive de ces dernières et la dépendance physique vis-à-vis des pratiques en question sous peine de graves perturbations physiologiques et psychiques, d'intolérables douleurs.

Bien entendu, toutes les substances chimiques, toutes les conduites ne sont pas enclines, au même degré, à développer une semblable addiction/dépendance, les plus actives en ce sens étant vues comme des drogues dures. Elles provoquent en général une activation des circuits cérébraux de la récompense, du plaisir, mais aussi une désensibilisation progressive due, en particulier, à un phénomène d'internalisation intracellulaire des récepteurs stimulés. Le résultat ultime de ce phénomène est la nécessité d'une stimulation permanente par des doses croissantes de la drogue pour maintenir simplement un « tonus physiologique » normal des voies de transmission du signal concernées.

C'est pourquoi l'arrêt de la consommation déclenche une crise de sevrage avec syndrome de manque plus ou moins sévère.

Les mécanismes évoqués ci-dessus demeurent très schématiques et des phénomènes en apparence similaires peuvent survenir en cas d'interruption brutale de toute consommation devenue compulsive, pratiques sexuelles, jeux de hasard, travail, surf sur le net, ou achats : douloureuse impression de besoin, agitation, insomnie, obnubilation, etc.

Une approche éthique de l'addiction constitue au total une démarche ardue, entre les excès de l'imposition d'une norme sociale peu respectueuse de l'autonomie des personnes et le risque de l'indifférence au sort de citoyens devenus prisonniers de leur addiction, peu à peu retranchés de leur famille, de la société, comme expulsés d'eux-mêmes. Certains principes apparaissent par bonheur assez consensuels, de l'ordre de la protection des mineurs et de tout individu en situation de fragilité, de la lutte contre les trafics criminels et de la solidarité envers les victimes de la drogue dont il convient d'éviter au maximum qu'elles ne succombent de plus aux complications multiples de leurs pratiques à risque.

Au-delà, le terrain est miné, ce qui ne doit pas nous dissuader de nous y engager, avec courage et solidarité.

Se garder de certitudes, écarter le réflexe de l'ordre moral aussi bien que celui du renoncement, être clair quant aux objectifs éthiques poursuivis et savoir alimenter ses efforts d'une connaissance réelle des mécanismes moléculaires, physiologiques et psychologiques de l'addiction/dépendance et de l'action de ce qui les provoque, tels sont certains des outils dont doit se munir quiconque est soucieux d'une action droite, raisonnable et humaine en ce domaine.

7

L'homme en pièces détachées

Une personne est unique et indivisible, son corps est constitué de parties et d'organes qui, eux sont susceptibles d'être tranchés, le cas échéant remplacés.

Lorsqu'un accidenté perd un, voire deux membres ou plus, qu'un malade subit l'exérèse d'un rein, de la rate, du poumon gauche, de la prostate, du côlon... leur personnalité n'en est pas pour cela affectée, leur « dignité » est entière, leur humanité ne peut être contestée. L'appareillage par prothèse des sujets amputés, la greffe de rein, de foie, de cœur, de cornée ne sont pas considérés être des dangers pour l'essence des personnes, plutôt des moyens de leur redonner accès à une meilleure maîtrise de leur autonomie et de leur vie, par conséquent des contributions positives à leur épanouissement possible. Nul doute que ces traitements sont des actions bonnes.

Les hésitations et les incertitudes, au-delà des aspects purement médicaux, seront plus grandes lorsque la « pièce humaine » changée est intégrée à l'image des personnes, à la manière dont elles sont vues et identifiées par autrui, dont elles prennent contact avec lui, le visage et la main de façon toute particulière. Continuons notre bricolage : le corps de la personne possède maintenant un cœur de porc, un foie de babouin. Des électrodes implantées dans son cerveau lui permettent de mouvoir deux prothèses des membres inférieurs et une main articulée. Des implants cochléaires transmettent directement au nerf auditif des signaux électriques engendrés par les sons. Nous sommes désarçonnés, bien sûr, mais à voir l'œil qui brille et l'énergie tout humaine dont témoigne ce corps réparé, nous restons convaincus de son entière humanité.

Puis, le bricolage concerne les corrélats matériels de l'esprit, les structures qui interviennent dans sa manifestation. Des dispositifs sont ajoutés pour en accroître les potentialités et le contrôler.

Humanité ou posthumanité, folie ou puissance émancipatrice ? Commençons par le début, les greffes d'organes.

Les greffes

Les greffes d'organes ont constitué un progrès considérable. Elles ont commencé par des dons, les organes étant prélevés sur des personnes en état de mort cérébrale. Immédiatement n'ont pas manqué de se poser toutes sortes de questions d'ordre scientifique et éthique. On s'est demandé quelle définition donner à la mort ? Ou encore, qui devait donner son consentement pour le prélèvement de l'organe ? En France, selon la loi Caillavet de 1976, toute personne n'ayant pas fait connaître de son vivant son refus de donner ses organes était de fait considérée comme un donneur potentiel.

La loi de bioéthique de 1994, confirmée en 2004 sur ce point, conserve le principe du consentement présumé mais établit un registre national des refus sur lequel peuvent s'inscrire ceux qui s'opposent de leur vivant à tout prélèvement d'organes après leur mort. En cas d'incertitude, l'équipe soignante est incitée à demander à la famille ce qu'était à cet égard la volonté du parent en état de mort cérébrale. Cependant, lorsque l'acceptation du don n'a pas été exprimée de manière explicite, les proches encore sous le choc du drame qu'ils viennent de vivre sont aussi en difficulté, car les temps ont changé. Il n'y a pas si longtemps, le don d'organes était vu comme une action solidaire, une chance magnifique d'agir de façon bonne au-delà de sa propre mort. Aujourd'hui, en ces temps de recul des pratiques religieuses, au moins en Europe, de laïcité et de disparition presque complète du sacré dans la vie quotidienne, la sacralité semble s'être réfugiée dans le corps lui-même, en particulier celui des défunts. De ce fait, la réticence aux atteintes portées à l'intégrité des corps s'est beaucoup accrue et nombreux sont ceux qui, aujourd'hui, refusent ce don. Ce refus coïncide par ailleurs avec un autre changement, la disparition presque complète des autopsies qui se pratiquaient jadis de façon quasi systématique à l'hôpital. Le corps investi de ce qu'il reste de sacralité dans les pratiques est l'objet d'un respect croissant, qui implique qu'on n'y porte pas atteinte.

Une nouvelle tendance, cependant, se dessine : le don d'organes par des donneurs vivants. De nombreuses personnes, pleines de générosité, font ce geste dans nos pays. Confrontés au manque d'organes à prélever sur les personnes décédées, les chirurgiens y sont d'autant plus favorables que les résultats apparaissent légèrement meilleurs qu'en utilisant des greffons prélevés sur des malades en état de mort cérébrale. Cela ne résout pas pour autant certains problèmes éthiques graves : comment les prélèvements se pratiquent-ils dans certains pays en voie de développement, auprès de populations démunies qui peuvent chercher à monnayer leurs organes, certains se spécialisant en fournisseurs de... reins ou de foies ?

Il est possible que, lors de la révision des lois de bioéthique prévue en 2010, et comme l'ont réclamé les forums de citoyens organisés en 2009, un texte élargissant la panoplie des donneurs vivants possibles soit adopté. Il va falloir cependant rester d'une très grande prudence. Imaginons ainsi qu'un enfant doive être sauvé. Il se trouve qu'il n'y a pas d'organe de cadavre disponible et qu'il est menacé de mourir. La volonté du père ou de la mère de donner un de leurs organes pour qu'on le greffe à leur enfant procède d'une sorte d'héroïsme solidaire qui a une haute valeur morale ; c'est un vrai don. La réalité est cependant parfois moins simple. Imaginons la situation suivante : après des tests, on s'aperçoit qu'il existe un donneur potentiel dans la famille de l'enfant, mais pas toujours ses parents... Que faire ? La personne désignée par les tests peut se sentir habitée par la grandeur de sa mission qui consistera à sauver l'autre. Mais tout le monde ne partage pas obligatoirement cette exaltation généreuse.

Chez certains, le résultat du test fait à peu près le même effet que celui ressenti par ces naufragés tirant à la courte paille pour savoir qui sera mangé. Que risque-t-il de se passer ? Explicite ou implicite, la pression qui s'exerce sur la personne testée, terrorisée par ce qui l'attend, est terrible. On lui fera comprendre que si elle n'accepte pas de faire ce don, elle sera responsable de la mort de l'enfant, presque un assassin. On imagine le terrible sentiment de culpabilité ressenti. Se pose explicitement ici la question de l'autonomie réelle du consentement.

Une situation particulière permet d'en comprendre la portée : il y a une dizaine d'années, quand les greffes de donneurs vivants ont commencé, des statistiques ont été établies au sujet des greffes de rein entre époux. Et qu'a-t-on vu ? Que les dons de rein d'épouse à époux étaient bien plus fréquents que l'inverse. Alors même qu'une maladie auto-immune, responsable d'insuffisance rénale fatale (la glomérulonéphrite auto-immune, affection qui touche les glomérules du rein), frappait bien plus souvent les femmes que les hommes... Ce résultat laisse très mal à l'aise. Ne traduirait-il pas une autre forme de domination, difficile à avouer ? Ce genre de constat montre avec quelle prudence la question du don d'organes doit toujours être abordée. Même si le fait de sauver une personne aimée possède une haute signification morale, la situation comporte d'extraordinaires difficultés éthiques qu'on ne doit pas sous-estimer.

Lors du forum de citoyens, à Strasbourg en 2009, consacré aux questions de bioéthique, j'ai pu constater, en tant que « grand témoin », que tous les experts étaient favorables à l'extension du champ d'application de la loi sur les greffes et que mes remarques les mettaient mal à l'aise. Il est indispensable qu'un donneur potentiel puisse demeurer autonome et, à cette fin, faire appel à un psychologue aussi impartial que possible qu'il pourra librement consulter. Ce psychologue pourra mesurer le degré de détermination de ce donneur, mais aussi la robustesse de la manifestation de son autonomie. Il n'est pas plus question de refuser l'héroïsme que de l'établir en tant que norme.

Le mythe de la posthumanité

Il est un thème qui prend aujourd'hui une importance de plus en plus grande, même si cela n'est pas forcément très visible pour le grand public : celui de la « posthumanité ». Il correspond à cette idée que l'homme imparfait sera « amélioré » par la science et la technique, qui le rendront considérablement plus fort, plus intelligent, plus inventif, etc. Il sera alors remplacé par un post-humain, que les divers outils de la technique auront rendu quasi immortel, doué d'éternelle jeunesse, interconnecté avec l'ensemble des hommes, acquérant de la sorte une puissance mentale sans limites.

La littérature classique s'est essayée jadis à ce genre de fantasme : le Faust de Goethe, qui a conclu un pacte avec le diable pour obtenir la jeunesse éternelle, est un posthumain. La science-fiction a elle aussi joué un rôle de défrichage majeur dans ce domaine, en créant des surhommes, des cyborgs surpuissants et d'intelligence « supérieure »... Mais si le dépassement des limites s'accomplissait jadis grâce à des fées, à des sorciers, voire à Méphistophélès, aujourd'hui, ce serait au tour de la science et des techniques de l'obtenir. Pour les tenants de la posthumanité, la science est en effet la nouvelle religion à utiliser pour bâtir le paradis sur terre. Grâce à elle, l'homme saurait enfin repousser la maladie, le handicap, la souffrance, la mort…

L'un des promoteurs actifs de cette pensée est ainsi William Sims Baindridge, qui a eu de très hautes fonctions dans le système de recherche américain – il a codirigé le rapport « Technologies convergentes pour l'amélioration des performances de l'homme » en 2002 pour la National Science Foundation, institution qui alloue les budgets publics aux diverses équipes de recherche. Selon lui, l'amélioration technologique des esprits et des corps conduira à une intelligence et à une longévité accrues, qui permettront à leur tour, dans un *feedback* positif, de découvrir de nouvelles méthodes d'amélioration, ce qui mettrait les hommes à l'égal des dieux… Pour cela, l'humanité a à sa disposition aussi bien les avancées des biotechnologies que celles des technologies de l'information et de l'informatique, des nanotechnologies et, bien sûr, des sciences cognitives.

La pensée scientiste posthumaniste donne dans l'injonction morale, selon laquelle c'est un devoir pour l'homme d'utiliser les outils que notre espèce sait mettre au point (contrairement aux animaux). Et ce, afin qu'il se sorte lui-même de sa propre animalité. Les promoteurs du concept de posthumanité, opposés aux positions dites humanistes, prônent une transcendance technologique.

La question demeure de savoir comment créer cet homme « amélioré ». Le mythe actuel répandu par les tenants de la posthumanité repose d'abord sur les chimères hommes-machines, les cyborgs. Il intègre la greffe d'organes mais mise surtout sur le recours aux cellules souches ou à la thérapie génique. Pour ce qui est des greffes d'organes, on envisage leur multiplication, cœur, foie, reins, yeux... avec du matériel de nouvelle génération. Puisqu'on ne dispose pas en nombre suffisant d'organes prélevés chez un autre être humain, on espère faire appel aux cellules souches de chaque individu. À partir de ces dernières, dotées de la propriété d'engendrer toutes les cellules du corps, il serait possible de reconstruire des tissus, voire des organes dans leur entier. On pourrait ainsi changer un cœur usé, greffer de nouveaux muscles, pourquoi pas renouveler certaines zones du cerveau...

Quant à la thérapie génique, elle permettrait d'aller plus loin encore. Selon les tenants du posthumanisme, elle permettrait d'améliorer la qualité du message transmis par les cellules germinales, autrement dit spermatozoïdes et ovules. Ils évoquent ainsi la possibilité de modifier les contrôles génétiques insuffisants ou défectueux, favorisant par exemple l'apparition des cancers ou de diverses maladies. Il suffirait d'exciser ou de désactiver certains gènes, d'en ajouter ou d'en stimuler d'autres. Au passage, les prophètes du posthumanisme insistent sur le fait que, demain, il deviendra éthiquement indispensable d'agir, c'est-à-dire de modifier les gènes, et d'utiliser ensuite des fécondations *in vitro*, non seulement pour prévenir les handicaps mais bien pour « améliorer » la qualité de l'être humain à venir. C'est ce qu'on appelle « *enhancement* » en anglais. Ne pas agir, voilà qui serait contraire à l'éthique.

De nombreux ouvrages à succès surfent aujourd'hui sur ce mythe, œuvres d'écrivains de science-fiction mais aussi, nous l'avons vu, d'authentiques scientifiques. Je me rappelle James Watson concluant un colloque à Paris, il y a une quinzaine d'années, par la fière affirmation qu'il convenait que l'homme, pour sortir de sa médiocrité animale et puisqu'il en avait les moyens grâce à la science, se saisît lui-même de sa transformation en un être enfin admirable, revendiquant un pouvoir que les religieux attribuaient à Dieu. Des conférences internationales sur la nécessité et les méthodes du transfert de gènes améliorateurs – le *enhancement* – ont été organisées un peu partout dans le monde ces dernières années. Il faut reconnaître qu'un tel dessein est l'aboutissement logique du concept selon lequel les progrès réalisés, en particulier dans les disciplines des sciences du vivant, sont sur le point de permettre de tout connaître, de tout comprendre, de tout pouvoir sur l'humain. En effet, cela conduit à vouloir transformer ce savoir en pouvoir technique, comme cela se passe dans presque tous les autres domaines des sciences, phénomène à l'origine de la notion de technosciences.

Quelle apparaît être en définitive la réalité de tout cela ? Il est sûr que, demain, les cyborgs existeront, personnes portant des prothèses de membres connectées au cerveau, prothèses visuelles pour les non-voyants, etc. Par bien des aspects, les ordinateurs et le Web sont devenus des sortes de prothèses externes de notre esprit dont on peut de moins en moins se passer. Rien n'interdit d'imaginer des processus d'internalisation de ces dispositifs, dotant en permanence une personne, selon ses besoins, des gigantesques possibilités du réseau mondial et des capacités combinatoires des ordinateurs modernes. Sur le plan biologique, on est sans doute plus loin du compte L'amélioration par transfert de gènes des capacités mentales d'une personne demeure à ce jour fantasmagorique. Quant à l'immortalité obtenue en combinant les ressources de la génétique et des cellules souches, elle est un objectif qui ne repose sur aucune expérience et se heurte à d'importantes objections théoriques. Chez l'animal, on sait faire vivre des mouches du vinaigre soixante jours, pas trois ans ; des souris trois ans, pas cent ans. Rien n'indique que la longévité humaine puisse être indéfiniment allongée.

Sur le plan éthique, faut-il s'inquiéter de ce qui n'apparaît être en partie qu'un délire éveillé que la science a tendance à engendrer, une manifestation de plus de l'utopie scientiste et de l'illusion techniciste déjà caractérisées ? La science-fiction n'est pas immorale. Tout n'est pas fantasmatique dans ces visions, cependant leur fondement est profondément antihumaniste, en tout cas n'a aucune considération pour l'homme réel auquel est préféré un surhomme fantasmé. C'est pour l'avènement de ce dernier que sont mobilisées les ressources et déployés les prodigieux moyens de la technique plutôt que de faire fructifier les trésors de créativité, réveiller les étonnantes réserves de volonté et d'énergie qui sommeillent et ne demandent qu'à se manifester au cœur des personnes et des sociétés. Il n'y faudrait qu'un peu de solidarité, une aide à l'éducation et au développement. Le combattant du posthumanisme rêve d'un monde toujours plus inégalitaire où quelques élus parviendront, grâce à la science et à la technologie, à échapper à la commune et ancestrale nature honnie.

Ne sont-ce pas là des imprécations éloignées de la réalité, penseront peut-être les lecteurs, étonnés du décalage entre la vivacité du ton et le caractère spéculatif et largement illusoire d'un monde posthumain ? Certes, si on entend par posthumanité un univers peuplé des mythes de science-fiction, du *Meilleur des mondes* d'Aldous Huxley à *StarWars* de George Lucas et *Avatar* de James Cameron. Pas la peine de monter sur ses grands chevaux pour dénoncer une société employant des esclaves clonés, luttant contre des cyborgs qu'anime le côté obscur de la force, ou menaçant d'un colonialisme exterminateur de sympathiques et fragiles créatures bleues.

Mais n'existe-t-il pas des esclaves en nombre au XXIe siècle ? Les personnes prostituées de nos cités, les innombrables travailleurs précaires et sans papiers qui, au petit matin et tard le soir, dans les arrière-cours et dans les caves, nettoient, habillent, construisent les logements des « seigneurs » ? N'avons-nous pas l'impression, à la diffusion des images de nos guerres modernes, en Irak ou en Afghanistan, à la vue de sortes de RoboCops bardés de technologie qui conduisent sur terre, sur mer et dans les airs des engins terrifiants et déclenchent un feu d'enfer, que chez nous aussi « l'empire contre-attaque » ? Quant aux peuples sacrifiés pour l'exploitation des minerais et autres richesses naturelles, il est vrai qu'ils sont noirs ou basanés plutôt que bleus...

Je veux par ces évocations attirer l'attention sur la double continuité, qu'illustre le mythe de la posthumanité et qui en explique l'extraordinaire dimension symbolique : continuité évidente avec le dessein de puissance d'une technoscience du vivant qui a jeté par-delà les montagnes toute finalité humaniste, et par conséquent toute légitimité morale ; continuité aussi avec la réalité de notre monde et de nos comportements. La posthumanité représente de la sorte à la fois une parabole du monde actuel, un accès aux rêves de ses chantres et une mise en garde contre ce qu'il pourrait devenir selon la simple logique des processus technoscientifiques en cours. L'injonction éthique en ce domaine reste élémentaire : canaliser la puissance de la science et de la technique au profit des hommes, d'ici et d'ailleurs, d'aujourd'hui et de demain. Une telle injonction est-elle encore audible ?

Écologie et pragmatisme

À l'opposé de l'utopie scientiste évoquée plus haut, d'autres courants prônent la mise en garde contre toute artificialité. Ainsi l'écologie voit une vertu profonde dans la naturalité du monde, des choses et des êtres. Elle est choquée d'imaginer que l'homme puisse être transformé en artefact par des procédés scientifiques. On retrouve nombre de ses tenants dans les débats qui ont lieu actuellement à propos des nanotechnologies, effrayés par l'utilisation que l'on pourrait en faire en biologie et en médecine – implantation de circuits électroniques dans le cerveau, par exemple. La pensée d'obédience chrétienne la rejoint en cela que l'idée de rendre parfaite la créature forgée à l'image de Dieu est blasphématoire. D'une part, parce qu'on ne saurait perfectionner l'œuvre de Dieu. D'autre part, parce qu'il convient de respecter la nature telle qu'elle a été créée, à la fois dans l'harmonie et la vertu.

Comme les lecteurs de cet ouvrage l'ont sans doute déjà compris, je fais partie d'un troisième camp, celui des pragmatiques. Je n'accorde aucune vertu particulière à la persistance de la nature. L'homme n'a jamais cessé son combat contre elle : après nous être gardés des scorpions et autres bêtes venimeuses, nous avons cherché à vacciner nos enfants contre les virus et bactéries, à opérer autrui mis à mal lors d'une maladie ou d'un accident. Si les choses se sont mal passées, pourquoi ne pas couper une jambe et la remplacer par une prothèse ? Si on ne parvient plus à marcher, pourquoi ne pas relier cette prothèse au cerveau pour aider la personne handicapée ? Pourquoi ne pas doter les malentendants – même si le langage des signes est riche – de prothèses auditives (elles existent déjà) et les malvoyants de prothèses visuelles ? Lorsque ces prothèses seront au point, j'y serai sans réserve favorable. Il n'y a aucune perversité à transformer un unijambiste en une personne capable de courir un cent mètres avec une prothèse, à relier le cerveau à une main articulée de façon qu'elle puisse retrouver des gestes de la vie quotidienne. Les personnes agressées sauvagement par dame Nature retrouvent ainsi leurs capacités et n'ont rien d'un cyborg sorti du monde des humains ! Bien au contraire, la prothèse de l'un, les circuits électroniques de l'autre leur permettent de le rejoindre au mieux.

Les prothèses de l'esprit

Outre la haine antihumaniste de l'homme réel qu'il véhicule, le projet du posthumanisme est caractérisé, je l'ai dit, par son caractère discriminatoire, inégalitaire. Par des moyens accrus explose avec lui le dessein d'avantager certains lignages. Déjà, certains humains le sont largement par la transmission du pouvoir ou de la culture. Des familles ont les moyens, par exemple, de payer des précepteurs pour leur progéniture, alors qu'à l'inverse on voit certaines mères seules devoir se battre pour simplement élever leurs enfants. En favorisant une sorte de dopage individuel, chimique, génétique ou électronique, on ne va pas modifier ces tendances, au contraire. Cela renforcerait un peu plus les inégalités, à la façon de la chirurgie esthétique aujourd'hui. On voit à quel point s'exercent des pressions pour que cette chirurgie non seulement s'emploie à réparer des corps abîmés après la maladie ou des accidents, mais surtout à améliorer l'apparence, de façon à rendre les individus plus conformes aux exigences d'un certain type de société, plus différents des autres. La pauvreté dans une ville ou un village se voit au premier coup d'œil à l'aspect des gens, à leur âge apparent, leurs dents abîmées, leur peau flétrie, leurs cheveux rêches, leurs mains calleuses et gercées, leur obésité négligée.

Mon inquiétude principale est cependant encore ailleurs. Elle réside moins dans la possible modification qualitative de l'homme que dans l'idée d'un développement en dehors de lui. Ne va-t-il pas devenir totalement dépendant des « machines à penser » ? De plus en plus, l'homme fera appel à des ordinateurs interconnectés dotés de mémoires colossales. Cela ne va-t-il pas dissuader un nombre croissant d'individus de penser par eux-mêmes ? Après avoir été des supports sans pareil destinés à apporter des informations, ces dispositifs ne vont-ils pas acquérir un pouvoir majeur, celui d'intimider ceux qui s'en servent et ne parviennent plus à agir par eux-mêmes ? Je me demande si, à terme, les humains ne vont pas se mettre en difficulté en conférant l'essentiel de la charge de penser à la machine. Et s'ils conserveront leur capacité à réarranger par eux-mêmes le réel. Déjà, lors de mes voyages par le train ou en avion dans les aéro-gares, j'observe de très nombreux cadres qui, dès qu'ils sont assis plus de cinq minutes et quand cela est autorisé, mettent leur ordinateur en marche. Je me demande alors pourquoi ils ne prennent pas le temps de se retrouver avec eux-mêmes, de rêver, de penser, de faire le point, d'innover ? S'en jugent-ils incapables ? En sont-ils deve-nus incapables ?

8

Les icônes corruptrices
de l'humanisme médical

Si la réflexion éthique s'est développée dans le champ de la médecine et des sciences du vivant, c'est que celles-ci se révélèrent parfois, dans le passé, effroyablement inhumaines. Comment la médecine a-t-elle pu le devenir ? N'a-t-elle pas pour but de contrer la maladie, de libérer de la tyrannie de la douleur, de permettre de recouvrer la santé et ainsi de vivre de manière plus autonome ? Quelle libération ! La médecine est une profession à visée humaniste, l'humanisme étant cette réflexion sur tout ce qui peut contribuer à l'épanouissement de l'homme. Et sa devise demeure : *Primum non nocere, deinde curare* (d'abord, ne pas nuire, ensuite soigner). Alors, quels ont bien pu être les ressorts de l'inhumanité médicale ?

Avant d'y répondre, force est de rappeler que cette inhumanité n'a pu se développer qu'à partir du moment où la médecine a véritablement disposé des moyens techniques et intellectuels de ses ambitions. Autrement dit quand elle a commencé à être efficace. Rappelons quelques épisodes. A déjà été cité (au chapitre 3, page 116) la dérive éthique de Louis Pasteur, ce grand scientifique français que l'on continue de révérer comme une icône un siècle et demi après ses travaux. Après deux ou trois ans de recherche sur la vaccination contre la rage, a-t-on rappelé, il avait demandé à l'empereur du Brésil de mettre à sa disposition des condamnés à mort pour mener ses expérimentations. Ultérieurement, c'est le célèbre Institut Pasteur qui n'a pas été exempt de méthodes contestables. Peu après la découverte du virus de la fièvre jaune, en 1927, des essais sont menés au Brésil avec des préparations encore peu efficaces et imparfaites ; ils portent sur des émigrants pauvres qui venaient d'arriver à Rio. Bilan : deux cents morts.

Aux États-Unis, bien d'autres affaires ont eu lieu. Citons celle dite de Tuskegee, où les médecins voulaient mieux comprendre l'histoire « naturelle » de la syphilis. Dans les années 1920 une étude longitudinale de la maladie est menée dans le comté rural de Tuskegee, en Alabama, sur des ouvriers agricoles noirs De jeunes hommes contaminés sont sélectionnés puis suivis. Or, dans les années 1940, l'utilisation de la pénicilline, découverte en 1928 par Alexandre Fleming, avait commencé de se répandre. On pourrait imaginer que les médecins eussent alors administré cet antibiotique de façon à rapidement faire disparaître le tréponème responsable de la maladie et soigner les personnes atteintes qu'ils étudiaient. On sait en effet les terribles conséquences de la syphilis : après le chancre syphilitique, puis une roséole, apparaissent de manière retardée des complications générales, l'anévrisme de l'aorte, les troubles neurologiques, la démence... La fin de vie du malade peut être effroyable. Malgré cela l'étude s'est poursuivie jusqu'en 1972, aucun des malades suivis n'a été traité !

Au nom de l'étude engagée, des dizaines d'hommes auront connu un sort épouvantable.

Les exemples ne s'arrêtent pas là, ils sont multiples. En 1962, au Jewish Hospital de Brooklyn, une étude est engagée sur la dissémination des cellules cancéreuses. Plus de vingt personnes âgées reçoivent une injection de broyats de cellules cancéreuses, de façon à voir ce que cela provoque chez elles. Pis que tout, également dans les années 1960, à Staten Island (New York), au Willowbrook State School Hospital : dans ce lieu où étaient soignés des autistes et des enfants atteints d'arriération mentale, du sérum de personnes souffrant d'hépatite fut délibérément inoculé chez plusieurs centaines d'entre eux, avec pour objectif de retracer l'histoire « naturelle » de la maladie et de préciser comment les gamma-globulines pouvaient soigner les malades...

De ces quelques exemples de médecine inhumaine, que peut-on tirer comme enseignement ? Qu'ont-ils en commun ? D'abord, on y retrouve la passion du savant. On a vu que Charles Nicolle, directeur de l'Institut Pasteur de Tunis au début du XXᵉ et récompensé par le prix Nobel en 1928, s'était élevé contre les façons de procéder de Pasteur. Quand « la conscience du savant l'emporte sur celle de l'homme », disait Charles Nicolle, évoquant « ce délire sacré que la passion inspire au génie ». L'exaltation du chercheur, souvent associée au désir de reconnaissance, est pour lui un moteur, elle peut déboucher sur cette passion dévorante qui lui fait perdre toute lucidité quant à ses devoirs moraux.

La seconde icône corruptrice de l'humanisme médical, à laquelle cède aussi Louis Pasteur, consiste à sous-estimer la qualité ou la durée prévisible de l'humanité des sujets de l'expérience ; Pasteur demande que l'on mette à sa disposition des condamnés à mort – ce sont des criminels et ils doivent de toute façon mourir bientôt, pas de raison de les ménager s'il s'agit de sauver plus tard des personnes d'une humanité plus rayonnante et prometteuse. Cette dérive conduit à établir des différences entre les humains : condamnés à mort, personnes âgées, autistes, Noirs américains pauvres… Les nazis ont fait de même avec les Juifs, les Tziganes, les homosexuels. L'idée que la vie de ces hommes est de faible valeur, qu'elle sera brève, qu'il s'agit en quelque sorte d'une humanité médiocre en sursis, autorise à ce qu'on pratique des expériences sur eux. Et ceux qui entreprennent ces recherches prennent pour justification l'alibi humanitaire ou thérapeutique, troisième icône corruptrice. Si ces recherches aboutissent, disent-ils, elles vont sauver l'humanité ! Il est important de combattre ces maladies (rage, syphilis, cancers, hépatites…) qui font des ravages, il est vraiment crucial de les vaincre. On comprend comment cette ambition et la passion que mettent les spécialistes dans cette guerre, l'efficacité des méthodes qu'ils déploient, les font passer par-dessus certaines réticences. Ils raisonnent ainsi : cela vaut la peine de mener ces expériences sur une humanité peu prometteuse car on en attend d'extraordinaires progrès.

Ces arguments, on les retrouve utilisés aujourd'hui et de façon courante dans d'autres situations. Par exemple, trop souvent encore, lors des essais cliniques menés sur des malades dans des pays pauvres. Ou chez nous lors des travaux sur le clonage thérapeutique. Les chercheurs favorables à la création d'embryons clonés avec cet objectif affirmaient ainsi que l'embryon étant issu de la rencontre d'un gamète mâle avec un gamète femelle, ces artefacts asexués produits par clonage n'avaient rien d'un embryon humain et qu'ils devaient être assimilés à du matériel expérimental. Concernant la recherche sur les embryons obtenus par procréation, nous nous le rappelons, c'est l'argument de l'âge (quatorze jours), de l'implantation dans l'utérus maternel ou du projet parental qui discrimine entre le grumeau cellulaire et l'embryon humain.

L'argent est bien entendu la quatrième icône corruptrice. Rappelons, par exemple, le cas du Vioxx. Au départ, il s'agit d'une recherche très intéressante sur un médicament anti-inflammatoire. On sait que la fièvre et la douleur sont dues à l'action d'enzymes baptisées cyclooxygénases (Cox1, Cox2), dont l'aspirine peut inhiber l'activité. Le problème est que l'aspirine, active sans distinction sur les deux enzymes, diminue par ailleurs l'agrégation des plaquettes sanguines, phénomène qui provoque une fluidification du sang parfois dangereuse, génératrice en particulier d'hémorragies digestives. La question s'est alors posée de savoir si l'on pouvait trouver des inhibiteurs spécifiques de la cyclooxygénase 2 qui n'auraient pas les effets indésirables de l'aspirine.

Le laboratoire Merck avait synthétisé une molécule qui inhibait Cox2 et non Cox1. Des essais cliniques en plusieurs phases (1, 2, 3) ont été menés, comme il se doit avant qu'un médicament ne soit mis sur le marché. Ces essais ont montré que tout se passait bien, sauf entre trente à trente-six mois d'utilisation de la molécule et au-delà, où des complications cardio-vasculaires survenaient de plus en plus fréquemment. Problème : quand le laboratoire Merck a soumis aux autorités de santé son dossier pour agrément et mise sur le marché du médicament finalement baptisé Vioxx, il n'a fourni ses données cliniques que dans les limites de trente mois. Évitant par là même de signaler les problèmes apparaissant ultérieurement. On sait les drames qui en ont résulté : plusieurs dizaines de milliers de crises cardiaques dont quelques milliers de décès, les plaintes et procès et le retrait final du médicament.

Des essais de thérapie génique ont connu le même genre de dérive. L'affaire qui eut lieu à Philadelphie en 1999, avec la mort de Jesse Gelsinger, âgé de dix-huit ans, concerne les malades atteints d'une très grave maladie déjà évoquée dans le paragraphe consacré à la confidentialité de l'information génétique (chapitre 5, page 204) : une mutation génétique les prive d'une certaine enzyme, l'OTC, qui assure en temps normal la transformation par le foie de l'ammoniaque, produit par les cellules, en urée. Résultat : le corps accumule l'ammoniaque, ce qui peut être fatal. Mais il arrive aussi que certaines personnes présentent une forme atténuée de la maladie. Celle-ci est susceptible de s'aggraver surtout en certaines circonstances, par exemple lors d'une opération, ou d'une forte fièvre. Alors, les protéines de leur corps sont digérées, leurs tissus se résorbent, et tout doit être mis en œuvre pour éliminer l'ammoniaque produit en grande quantité.

C'est pour rétablir un métabolisme normal chez ce genre de malades que l'équipe du Pr James Wilson a proposé d'effectuer le transfert du gène de l'OTC dans le foie. Et ce, au moyen d'un vecteur adénoviral, autrement dit un virus allant pénétrer les cellules hépatiques et y déposer le gène voulu. De nombreuses expériences avaient déjà été réalisées chez l'animal. Elles avaient démontré qu'il est en effet possible de faire entrer le gène thérapeutique dans les cellules, mais que ces dernières sont rapidement éliminées, si bien que la correction du déficit enzymatique est très transitoire, elle n'excède pas un mois. De ce fait, l'essai tenté chez Jesse Gelsinger n'était d'aucun intérêt pour lui, porteur du déficit jusqu'à la fin de ses jours et qui, hors des crises, le cas échéant sévères, n'en souffre pas. En revanche, lui injecter cinquante milliards de particules virales porteuses du gène, ce qui avait été accordé à l'équipe de James Wilson par la commission américaine (le RAC, Recombinant ADN Advisory Committee), risquait de déclencher une crise d'hyperammoniémie. En effet les fortes doses de vecteur adénoviral injectées à l'animal provoquent de façon régulière un syndrome fébrile. L'expérience est néanmoins réalisée, elle n'aurait jamais dû l'être. Jesse Gelsinger meurt, le risque n'en était pas imprévisible. L'inexplicable peut être expliqué ; James Wilson était conseiller scientifique d'une petite société de biotechnologies qui espérait, après les essais, son introduction en Bourse. Comme dans le cas du Vioxx, l'argent est ici le ressort principal de la dérive.

Comment peut-on maintenant utiliser l'identification des icônes corruptrices majeures de l'éthique médicale pour se prémunir autant qu'il est possible de s'engager dans la voie d'une médecine inhumaine ?

La première étape consiste en une analyse objective par ceux qui conduisent des recherches et des essais chez les personnes, de leurs motivations et justifications, en pleine conscience des icônes corruptrices qui exercent leurs effets sur chacun. En effet, il n'est bien entendu pas question de disqualifier la passion du savant, l'espoir de reconnaissance du chercheur, la foi dans les perspectives futures de la recherche menée. Quant à l'argent, il est une réalité du monde moderne, dont on ne peut faire abstraction. Tous les jours, on enjoint aux chercheurs de « valoriser » leur recherche… dans le sens économique du terme, de passer des accords avec les industriels. D'ailleurs les savants d'antan n'étaient pas tous indifférents aux gratifications matérielles ; Louis Pasteur, Lavoisier et bien d'autres en témoignent. Cependant, l'influence conjointe de toutes ces icônes doit fonctionner comme un signal d'alerte dans l'esprit du chercheur, lui signaler qu'il doit être des plus vigilants, demander l'assistance d'instances extérieures du type des comités d'éthique. En matière d'essais sur l'homme, le respect strict et sincère du consentement libre, exprès et éclairé, s'impose aussi, bien sûr. Dès lors tout est-il bordé, sommes-nous assurés, si nous respectons la lettre et l'esprit des principes énoncés ci-dessus, d'être garantis contre toute pratique inhumaine ?

En fait, non, cela ne suffit pas. Même s'il existe une certaine compréhension entre un médecin et son patient, si s'établit un vrai dialogue sur la question des droits et devoirs de chacun, il est bien clair qu'ils ne sont pas à égalité de situation. Par hypothèse, les soignants sont en bonne santé alors que le patient, lui, est atteint par la maladie, voire tenaillé par la douleur. Outre le sentiment de réciprocité – je ne ferai à l'autre que ce que je me ferais à moi-même –, il faut de la solidarité. Imaginons un individu en train de s'enliser dans des sables mouvants. Au nom de l'autonomie, il serait possible de déclarer… qu'on le laisse s'enliser. Mais au nom du devoir de solidarité, on sait bien qu'il faut agir ! C'est par un certain exercice intellectuel que ce devoir-là, constitutif de la pensée éthique, va se manifester : le médecin doit se dédoubler. D'une part, il va lui falloir se représenter comme la personne en bonne santé et en pleine possession de son savoir qu'il est, mais, d'autre part, s'assimiler à ce malade atteint d'une affection qui le mine. Il peut alors se poser la question : sachant ce qu'il sait, accepterait-il qu'on procédât sur lui comme il le préconise ? Que ferait-il s'il s'agissait d'un des siens ? C'est seulement en réfléchissant ainsi qu'il est possible de prendre conscience de ce qui est acceptable et de se prémunir contre les icônes corruptrices. Rien ne saurait remplacer l'empathie, l'art de se mettre à la place de l'autre.

En somme, cette réflexion sur les fondements des pratiques éthiques dans la vie publique aussi bien que dans le domaine des recherches biomédicales se termine par une nouvelle référence au leitmotiv qui court à travers cet ouvrage : l'autre est le mètre étalon de la valeur morale des actions, ce qui détermine si elles sont bonnes ou ne le sont pas.

Postface

Être quelqu'un de bien

Tous les pères du monde – au moins, je l'espère, la plupart –, toutes les mères du monde, sans aucun doute, souhaitent que leurs enfants soient des « femmes ou des hommes bien ». « Sois quelqu'un de bien » est une triple injonction : à être, à être quelqu'un, et quelqu'un de bien. Par deux fois mon père m'a lancé des injonctions qui n'ont cessé de me poursuivre : « Un garçon bien ne dit pas ça » après que, à l'âge de sept ans, j'ai interpellé un petit camarade avec des accents racistes. Et « Il faut faire durement les choses nécessaires, sois raisonnable et humain » dans la dernière lettre qu'il écrivit avant de se jeter d'un train à pleine vitesse. Déchiffrer ces messages a été l'un des fils rouges de mon itinéraire intellectuel et de ma vie d'homme. Je ne suis pas certain d'y être parvenu dans le sens exact que Jean Kahn donnait à ses propos, mais j'ai élaboré moi-même un corpus de valeurs que je suis capable d'expliciter, de fonder en logique de telle sorte que mes interlocuteurs et lecteurs puissent s'en saisir pour les contredire ou se les approprier.

En tout cas mes enfants n'auront pas d'hésitation sur la nature de mon message, mes enfants par le cœur et par le sang, ceux qu'une femme m'a donnés et a partagés avec moi, et tous les autres, les élèves connus et inconnus. Dans mon métier, on en a beaucoup. Être quelqu'un de bien, c'est d'abord l'être dans ses actions : chacun d'entre nous est indissociable de ce qu'il fait, c'est en cela qu'il est responsable.

D'où la structure de ce livre étrange dont le lecteur lit les dernières pages, essai sur la manière dont quelqu'un de bien devrait selon moi aborder les situations complexes sur lesquelles je me suis penché ou que j'ai rencontrées à l'occasion d'un long parcours dans les champs de la médecine, de la recherche et de la réflexion éthique. J'assume la subjectivité de mes propositions et, en ce sens, cet ouvrage serait un échec si certains le considéraient comme une bible, ou plutôt un recueil de recettes éthiques mises en perspective. La définition de l'« éthique » que je retiens ici est « la réflexion sur la vie bonne et les valeurs qui la fondent », une morale de l'action. J'insiste dans ce livre beaucoup plus sur ces valeurs qui justifient le choix de l'action que sur cette dernière elle-même. Ainsi, ceux qui m'approuvent aussi bien que les autres pourront le faire en connaissance de cause et, dans l'approbation aussi bien que dans la désapprobation, enrichir peut-être leur propre analyse.

Toute ma réflexion est issue d'une interrogation sur le Bien et le Mal, puisque l'on m'a assigné de tenter d'être quelqu'un de bien. J'ai tenté d'exposer avec clarté ma réponse, que je résume ici. L'humain de l'homme ne peut émerger que dans l'échange mutuellement humanisant avec au moins un autre, ce qui amène à reconnaître sa valeur et fonde le principe de réciprocité. L'un et l'autre constituent la base de l'humanité. Aucun d'entre eux ne peut être discriminé en fonction de sa valeur relative par rapport à l'autre ; ce que l'un revendique au plan de la qualité et des droits, l'autre est réciproquement justifié à le revendiquer en ce qui le concerne. Le Bien est tout ce qui prend en compte la valeur de l'autre, le Mal tout ce qui la nie ou lui manifeste de l'indifférence. Le Bien et le Mal n'ont aucune signification hors du cadre de l'altérité, et en ce sens leur notion ne saurait être opposable à l'autonomie, conséquence elle-même du principe de réciprocité : l'autre doit bénéficier de l'autonomie à laquelle je suis attaché. La solidarité, l'empathie, la loyauté et l'équité découlent de l'évidence reconnue de la valeur de l'autre similaire à la mienne propre. Ces principes sont au cœur de la réflexion éthique, ils sont les valeurs qui fondent l'action bonne.

Cette analyse permet aussi de reprendre l'interrogation servant de titre à cette postface : Être – quelqu'un – de bien, qu'est-ce ? Être, savoir ce que l'on est, accéder à la conscience de soi exige l'aide de l'autre. De la sorte, être ne saurait se conjuguer au singulier ; je suis parce que nous sommes.

Être quelqu'un, c'est bien entendu l'être dans le regard d'autrui seul capable d'en juger, c'est être reconnu par lui comme une personne unique dont l'apport spécifique à son propre épanouissement est distinct de tout autre. La créativité, l'originalité en sont des signes caractéristiques.

Quelqu'un de bien n'oublie jamais de privilégier la contribution de son talent, de son énergie, de son imagination, de ses entreprises et de son œuvre à l'épanouissement de l'autre, ici et ailleurs, aujourd'hui et demain.

Table

Cet ouvrage a été imprimé
en février 2011 par

FIRMIN-DIDOT

27650 Mesnil-sur-l'Estrée
N° d'édition : 51639/09
N° d'impression : 104152
Dépôt légal : avril 2010

Composé par Nord Compo Multimédia
7, rue de Fives, 59650 Villeneuve-d'Ascq

Imprimé en France